KB077231

타로

실전 강의록

(실전편)

이부상 지음

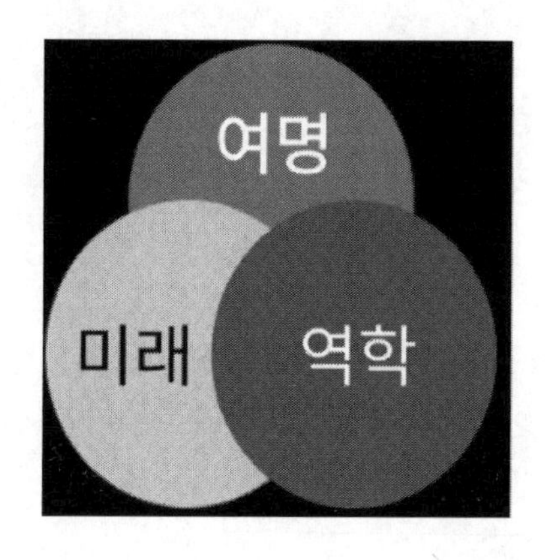

타로실전강의록 (실전편)

발 행 | 2024년 3월 26일

저 자 | 이부상

펴낸이 | 한건희

펴낸곳 | 주식회사 부크크

출판사등록 | 2014.07.15.(제2014-16호)

주 소 | 서울특별시 금천구 가산디지털1로 119 SK트윈타워 A동 305호

전 화 | 1670-8316

이메일 | info@bookk.co.kr

ISBN | 979-11-410-7770-9

타로 실전강의록

실전편

이 부상 著

목 차

머리말

“타로실전강의록” 이론편을 마치고 이번 실전편은 실제 사례를 통하여 숙달할 수 있도록 총 108문항을 자세하게 수록하였다. 이론편을 충분히 숙지하신 독자께서는 실전편 본서를 참고하시면 타로를 리딩하고 통변하는데 큰 어려움이 없을 것이다.

2006년부터 타로상담을 시작하여 지금까지 필자가 그동안 실제 상담과 강의 및 기존 타로 자료들을 편집하여 이론 편은 기본 원칙에 벗어나지 않도록 충실하였고 이번 실전편에서는 이론 편의 내용을 가지고 실전에서는 어떻게 다양하게 적용할 수 있는지 기본에서 고급 통변(리딩)까지 할 수 있는 단계까지 통달할 수 있도록 저술하였다.

이 책은 특별한 비법이 있는 것이 아니라 타로를 좀 더 쉽게 누구나 활용할 수 있도록 목적을 두고 있기 때문에 우리 현실에 맞지 않는 타로 이론을 모두 배제하고 실전 상담에서 운세별 문답에 따른 여러 다양한 입체적 해석을 할 수 있도록 중점을 두었다.

따라서 핵심 이론편을 파악하여 실전 통변편을 결합해 꾸준히 반복 숙달시키면 자신만의 응용력이 배가되어 실제 타로 상담에 큰 도움이 될것이다. 본서와 인연이 되시는 구독자분께서는 이론편과 실전편을 별도로 공부하시지 마시고 실전편과 이론편을 같이 하시면서 다양한 통변 기법을 연구하시기 바란다.

타로 공부를 하시는 누구든지 최종목표는 타로카드를 통하여 운세별로 얼마나 통변(리딩) 파악을 잘하느냐일 것이다. 타로 통변을 잘하기 위해서는 타로 이론의 기본핵심과 타로 배열을 통하여 철저하게 원칙에 근거하여 반복 숙달 훈련을 해야 한다. 그러다 보면 어느 순간에 직감이 발달하여 말문이 터지고 어떠한 운세에 관한 질문에도 자연스럽게 타로 리딩을 구사하게 된다.

따라서 특별한 사람만이 이 공부를 하는 것이 아니고 누구나 타로카드라는 도구를 통하여 고차원적인 점술의 감각을 익힐 수 있으며 복잡하고 다양한 삶 속에서 어떤 문제를 선택 판단하는데 현명한 지혜를 얻어 인생을 성공으로 이끌어 갈 수 있다.

누구나 쉽게 타로를 이론적으로는 습득할 수 있지만 막상 실전 타로 점단에서는 도무지 무슨 말을 해야 할지 말문이 막혀 버린다. 그 이유는 각종 운세별 질문에 대한 다양한 통변 방법을 숙지하지 못하고 타로 배열법에 대한 논리적 연계성의 이해 부재이다.

우리가 수학 공식을 배우고 문제를 풀기 위해서는 수많은 예문을 통하여 응용력을 키워야 하듯이 타로 공부도 마찬가지이다. 타로 이론에 아무리 박학다식하더라도 실전 상담을 통한 운세별 통변(리딩) 공부를 하지 않으면 아무 쓸모가 없다.

따라서 타로카드 78장에 담긴 기본 의미부터 다양한 키워드에 숙달한 학인이 제대로 실전연습을 통하여 경험을 쌓게 된다면 신출귀몰한 고차원적인 타로 점단을 구사하게 된다. '핵심 실전 타로' 이론과 실전편을 두 권을 참고삼아 자신만의 타로 실전 상담 노트를 만들어 심층 분석하여 열심히 공부하시면 초절정 타로 고수의 반열로 올라가게 될 것이다.

2024년 청룡의 해를 시작하면서, 여명 이 부상 배상

108

실전사례편

상담기법

[문 1] 3 카드 배열 실전통변 공부

누군가가 아니면 본인이 막연히 자신에 관해서 물어보거나 현재 자신은 어떤 상황인가 앞으로 어떻게 진행될 것인가 원하는 결과가 있겠는가 등 질문이 들어오면 3 카드 배열에 따라 통변 연습을 해보자. 카드를 뽑기 전에 질문 내용과 배열에 따라 각 위치의 설정 의미가 중요하다.

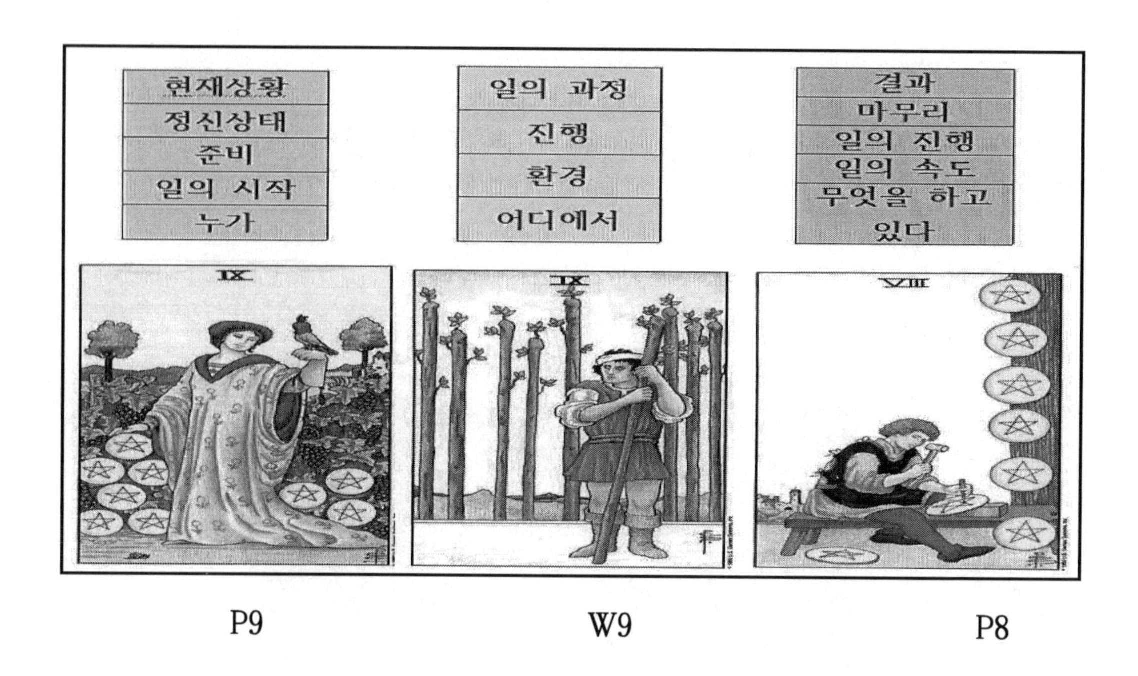

P9 W9 P8

이런 식으로 질문 상황에 맞추어 다양하게 해석할 수 있다. 예를 들어 지금 나의 모습 현재 상태를 생각하면서 3장의 카드를 스프레드(배열) 해보니

첫 번째 카드로 펜타클 9가 나왔다.

두 번째 카드로 완즈 9가 나왔다.

세 번째 카드로 펜타클 8이 나왔다.

이 3장을 문장을 만들어 스토리로 만들어야 한다.

1. 누가(펜타클 9) 어디에서(완즈 9) 무엇을 하고 있나(펜타클 8)
2. 현재 준비된 모습이나 상태(펜타클 9)에서 일의 진행이나 환경(완즈 9)은 어느 정도 진행되며 결과가 언제 오는가? (펜타클 8)

[통변]

펜타클 9가 내 자신이다. 나름 자신의 직업에 성취를 가지고 있고 여성적인 성향을 지니며 아주 젊은 사람은 아니고 자기 잘난 맛이 있는 사람이며 말을 하는 직업(앵무새)이며 직업상 외롭고 욕심이 많지만 경제적 여건이 부족하다. (완즈 9와 펜타클 8를 보고 판단) 과거 많은 재물을 잃었지만 자신의 공부(숫자 9)에 대한 성취도는 대단하다. 여기서 펜타클은 재물로 보면 부정적으로 해석하고 공부는 긍정적으로 보아야 한다.

현재 처해진 환경이나 직업에 대한 모습은 완즈 9다. 상담실 주변 환경은 불안하고 막혀 있다. 최후의 시련 단계이고 적극적인 자세보다는 방어하고 있는 모습에 주변 경쟁 상담실이 많거나 고객들은 주변에 많고 상담실을 쳐다보고 있는데 아직은 상담실을 인식하지 못하고 있다. (현재는 홍보나 광고를 전혀 하지 않음) 또한 완즈 9에 사람이 손님 입장이라면 타로 간판만 보고 실력이 없는 흔한 상담실로 의심하고 인정하지 않는 모습이다. 상담실이라면 상담 장소로 조금 답답해 보인다. 그렇지만 마지막 단계라 참고 견디면 소문이 난다.(펜타클 8를 보고) 그리고 역술 공부는 마지막 반복 숙달 과정으로 정리하고 있다.

결과나 일의 속도는 펜타클 8이다. 역술 공부를 반복 숙달하여 내공을 쌓아 수익을 내고 있는 모습이다. 일의 속도는 빠르지 않지만, 지금보다 안정이 되어간다. 이 카드를 긍정적으로 해석하는 것은 첫 번째 카드 펜타클 9와 연관시켜야 한다. 이미 역술 공부는 오랫동안 해 왔기 때문이다. 여기까지는 오픈한 지 5개월 된 상담실 운영에 관해서 설명한 내용이고 또 다른 측면 일의 진행도 이 3 카드 배열법으로 통변할 수 있다.

현재 또 다른 측면의 일의 시작은 펜타클 9를 보고 판단하면 펜타클 9속에 여인은 나 자신일 수도 있고 다른 사람일 수도 있으며 다른 장소로도 볼 수 있다. 여기서 앵무새라는 상징은 외국어는 키워드가 있다. 상징 치환을 하면 외국(일본)일 수도 있다. 어떤 나이 드신 분이 외국에 가서 상담실 운영하는데 동업 제안이 들어와 코로나로 지연이 되어 내년 초쯤 이동을 할 계획을 가지고 있다.

그러나 아직도 코로나가 극성을 하고**(완즈 8이 코로나로 인한 불안한 모습)** 또 다른 측면으로는 일본의 상황이 불안한 모습의 환경이지만 서서히 2년 정도 시간이 지나면 (펜타클 8은 완성을 하려면 2개부족) 자리를 잡아갈 수 있다. 큰 기대는 안하지만 한번은 경험해봐야 하는 열망이 크다. **(완즈 9 속에 완즈 1개를 잡고 있는 열망이 과거에 열망이 있었다)**

그리고 시기적으로는 완즈 봄, 펜타클은 겨울을 의미하고 방향으로는 완즈(환경. 어디서)는 동쪽을 의미한다. 이런 식으로 배열법을 순서대로 문장을 만들면 누가 어디서 결과를 어느 정도의 성과와 시기를 유추 할 수 있다. 어느 정도 역량은 있지만 현재 처해진 환경이 답답하고 경제적 성과가 없으며 길게는 2년 짧게는 내년 2021년 2월(펜타클 8)을 넘겨야 하며 내년 봄(5월;완즈 9)은 계약이 만료되는 시점이라 또 다른 계획(일본)에 따라 계약을 연장할 수도 있고 정리할 수도 있는데 2021년 실제 현재 상황에서는 사무실 계약연장을 고려하고 있으며 1년 넘게 코로나로 인하여 일본상담 계획은 불투명해지고 있다.

실제 결과는 22년 4월 철학관 만 2년만에 사무실을 폐업하였고 일본방문 상담계획은 22년 12월 일본방문 이후 동업자에 대한 신뢰 상실로 스스로 포기하였다. 물론 현재 질문에 맞는 타로리딩이 우선이지만 포괄적으로 3카드 배열로 입체적 분석이 가능하다. 펜타클 9는 동업자(나이많은여자)로 치환할 수 있으며 앵무새나 완즈 9는 내 자신으로 볼 수가 있다.

[결론]

이런 식으로 스토리를 만들어 통변하면 말문이 터질 수 있고 질문 내용에 따라 배열법을 스스로 만들어 사용하면 기본 키워드만 가지고 조그만 응용하면 누구나 쉽게 타로 리딩을 할 수가 있고 재미가 있다.

그러나 타로 공부를 처음부터 점성학, 심리학. 신화 등 너무 난해하게 중구난방으로 이론을 배우게 되면 공부 시간이 오래 걸린다. 이론은 박학다식할지 몰라도 막상 실제 상담 현장에서 질문자의 수준에 맞추어 실전통변이 얼마나 효과가 있는지 의문이 간다. 본인 스스로 기본 이론을 가지고 실전통변 자료를 만들어 연구하는 것이 타로 마스터를 향한 빠른 지름길이다.

[Tip] 여명쌤 타로 실전통변 특징

1. 타로 도구를 통한 한국점술기법 응용
2. 타로 정/역방향 구분없는 통변의 확장성
3. 타로 배열법의 다양성 접근
4. 고차원 통변기법을 통한 개운 효과
5. 실전통변을 통해 78장 키워드 이해

☞ 여명타로 실전통변 방법 순서

1. 질문내용 파악 분석

질문내용에 따라 통변의 방향성이 결정된다.

2. 주관적 배열법 응용

질문상황에 따라 기본 배열법이 달라진다.

3. 질문에 따른 기승전결 스토리 전개

상담자와 질문자가 서로 피드백하면서 핵심을 파악해야 한다.

4. 질문자 상황에 맞는 마무리 조언이나 가부결정

실전 상담에서는 질문에 대한 결과가 심리적 조언, 가부선택, 시기 결정인지 분명하게 타로 리더가 파악해야 한다. 질문자의 정신상태에 따라 질문내용에 관계 없이 두루뭉실한 긍정적 조언이 필요한 경우도 많다.

[문 2] 임대아파트 3순위인데 4월 중에 입주할 수 있을까요?

현재 살고 있는 주택이 임대 계약기간이 만료가 되어 가고 있는데 입주를 기다리고 있는 LH 임대 아파트로 4월중에 이사갈 수 있는지 궁금하다고 한다.

현재 모습은 여사제 카드이다. 문서를 쥐고 있는 모습에 마음이 긴장되어 있고 불안한 모습이 밝아 보이지는 않는다. 현재 사는 집이 계약이 끝나는 시점에 바로 임대아파트로 입주하기를 바라는 마음이 강하지만 불안하다.

진행 과정은 마법사 카드이다. 거의 완성할 수 있는 모습이다. 현재 3순위이기 때문에 입주할 가능성이 크다. **결과는 운명의 수레바퀴 카드이다.** 원래 이 카드는 현재는 좀 더 노력해야 완성할 수 있다고 해석할 수 있기 때문에 입주할 가능성이 힘들다고 통변할 수 있다. 그러나 실제로는 4월에 연락이 와서 입주 계약금을 지불하였다. 그러면 왜 계약이 되었을까?

운명의 수레바퀴 카드의 키워드는 수없이 많다. 그 상황에 따라서 적절한 키워드를 설명해야 한다. **"좋은 카드에 이 카드가 나오면 아주 좋다"** 라는 설명이 있다. 또한 **"다가올 행운의 기회"**라는 의미도 있고 이사. 이동의 뜻도 있다. 그리고 질문 속에 입주 대기 번호 3순위라는 가능성 높은 희망적인 메시지가 내포하고 있다.

단순히 표면적인 키워드로 통변하면 틀릴 수 있다. 따라서 결과적으로 이 운명의 수레바퀴 카드가 노력을 해야 하는 카드이지만 지금까지 노력을 해왔고 마법사의 거의 완성 카드에 3순위라는 현재 상황이 무난히 입주할 수 있었던 것이다. 그만큼 카드 자체 해석보다는 전체적인 상황을 고려하여 다양하게 통변해야 적중률을 높일 수 있다.

[문 3] 남편의 유학 합격운과 본인의 임신운이 있는지요?

신혼부부가 찾아왔다. 서로 사주를 보고 타로로 남편의 유학 MBA과정 합격운과 자식 임신운 두 가지를 문의했는데 간단하게 3카드 배열법으로 통변을 했다. 3카드 배열법은 앞 강의에서도 설명했듯이 주로

1. 과거 - 현재 - 미래
2. 시작 - 과정 - 결과
3. 현재 상황 - 진행 - 결과

순서에 따라서 입체적으로 통변을 해야 한다. 여명 타로는 이론편에서 언급했듯이 정.역방향을 구분하지 않고 전후 배열관계에 따라 긍정적, 부정적인 측면으로 다양하게 해석을 원칙으로 한다.

먼저 남자가 합격운을 질문하고 3장을 뽑았다.

1. 태양 카드
2. 완즈 10
3. 펜타클 10

태양 카드는 긍정적이고 희망적이며 타로카드 중에서 힘든 것을 이겨 나가는 긍정적인 힘이 강한 카드이다. 과거의 모습일 수도 있고 지금 현재의 상황의 모습일 수도 있어 기본 실력이 대단한 남자(현재 연구직종사)라는 것을 알 수 있다.

그리고 메이저 카드라 더 의미심장하고 중요한 카드이다. 또한 물상적으로 동심 어린 희망을 갖고 말(유학)을 타고 떠나가는 모습을 유추해 볼 수 있다. **완즈 10 카드는** 지금까지 역량을 쌓아 놓아 준비가 되었다면 힘이 들어도 이겨낼 수 있지만 경험이나 능력이 아직 미숙한 이제 시작하는 경우는 너무 버겁고 힘든 카드이다.

현재나 진행과정이 힘들고 만만치 않아 보인다. 기본실력이 없이는 쉽게 합격하기 힘들다는 것이데 본인 말로는 준비하는 서류와 시험에 통과해야 하고 입학 비용이 비싸다고 한다. **펜타클 10는** 안정적이고 물상적으로 보면 입학하여 행복함을 느끼는 주변환경과 사람들의 모습으로 긍정적으로 해석한다.
상당히 미국에서 알아주는 학교라는 것을 알 수 있다. 미래나 결과로 입학하여 생활하는 모습으로 느낀다. 또한 합격을 하여 입학을 하면 가족이 함께 떠나 생활할 수 있는 것을 알 수 있는데 **펜타클 10는** 가정, 가족을 의미하기 때문이다.

결국 3 카드 배열법에서 **완즈 10을** 긍정적으로 해석하여 내년 봄에 합격통지서를 받을 수 있다. **완즈는** 봄(3.4.5월)을 상징하기 때문이다. 또한 메이저 카드가 핵심 카드라 아마 임신도 하여 아기가 출산하여 세 가족의 모습까지도 직관으로 통변할 수 있다. 따라서 배열법의 순서와 갯수와 상관없이 입체적으로 확장하는 사유를 가져야 한다.

그 다음에 여자가 자식(임신)운에 대해서 3장을 뽑았다.

1. 왕 완즈
2. 완즈 2
3. 펜타클 9

왕 완즈는 현재 상황으로 남편의 모습으로 정력이 강하거나 자식에 대한 열정이 강하다는 것을 알 수 있다. 물상으로 보면 남자의 정충이 왕성함이 보이고 한 개의 강한 정자(도마뱀)가 준비하고 있어 보인다. 현재 임신하기 위하여 피임도 안하고 준비하고 있다고 한다.

완즈 2는 임신하기 위해 좀더 적극적으로 노력하는 모습이고 지구본을 들고 있는 모습은 남편의 유학과 자식에 대한 목표가 구체적으로 설정하는 모습이 왕 완즈 카드와 순서가 바뀌어서 나왔다.

이런 배열을 과거 현재 미래 이런 식으로 순서대로만 해석하면 전후관계가 맞지 않을 수 있으나 좀더 완즈 2를 다른 각도로 통변하면 고정된 **완즈 1개는** 자식 생산을 의미하고 손에 쥐고 있는 **완즈 1개는** 유학시험을 준비하는 모습으로 통변을 확장시켜 볼 수 있다.

펜타클 9는 임신한 여자의 모습으로 볼 수 있다. 포도는 다산을 의미하니 임신 가능하고 여인의 모습이 임신부처럼 느낌을 가지고 있고 육아휴직을 하여 집에서 출산준비를 하고 있는 모습으로 해석할 수 있다.

아마 임신하고 출산을 하여 남편이 먼저 외국유학을 가고 어느 정도 산후조리가 끝나고 내년 겨울 정도에 남편에게 갈 수 있을 것 같다.

이런 식으로 통변 연습을 해야 한다. 상담자가 질문한 상황을 잘 요약하여 카드 키워드를 적절하게 유추하고 더불어 물상을 활용한 직관으로 종합적으로 통변을 해야 한다. 그만큼 질문의 내용을 잘 숙지하여 통변과 연결시키는 것이 중요하다.

[문 4] 아들이 고열로 병원에 갔는데 검사 결과는 어떻게 나올까?

아들이 고열로 병원에 가서 검사를 기다리고 있다고 해서 3 카드 배열법으로 타로점을 보았다.

1. 펜타클 5
2. 소드 4
3. 힘

현재 상황을 보면 펜타클 5가 나왔다. 마이너 카드 중에 펜타클은 건강을 나타낸다. 저울을 가지고 사람은 병원(의사)으로 보이고 두 사람은 환자들로 보인다. 펜타클은 감기기운이 좀더 진행이 되거나 전에 감기기운이 완전히 떨어지지 않고 있음을 유추해 볼 수 있다.

저울을 보고 병원에 가서 X-Ray검사나 혈액검사 등으로 큰 병원에 갔음을 알 수 있다. 현재 아들이 고열로 목이 많이 부어 있다고 한다. 오른손에서 약을 주는 모습도 보인다. 의사말로는 열이 떨어지지 않는다면 바로 입원을 해야 한다고 한다.

소드 4는 몸이 아파서 편안하게 쉬거나 심하면 입원을 해야 한다. 움직여서는 안되고 누워 있어야 한다. **소드 4는** 물상적으로 보면 질병. 병원. 한의원 등의 키워드가 있다. 현재는 학교에 나갈 수가 없고 4~5일 동안은 푹 쉬어야 한다.

한의원에 가서 침을 맞는 것도 효과가 있고 주사도 효과가 있다. **소드(칼)는** 물상적으로 주사바늘. 침을 나타낸다. 메이저 카드 중에 **힘 카드는** 인내심. 의지력 등을 의미한다. 현재는 움직일 수 없고 휴식해야 하고 정지, 정체되어 있는 힘든 상황이다.

건강운에서 이런 **힘 카드 메이저 카드가 나오면** 당분간은 푹 쉬어야 하고 사자는 환자나 질병을 의미하며 사자의 목.머리를 보고 아마 두통이나 목이 심한 것으로 보아 엄마나 간호사의 간호가 필요하다.

3카드 배열법에서 메이저 카드가 핵심카드이다. **힘 카드는** 시간이 좀 걸려야 건강회복이 된다고 보여지고 바로 결과 카드로 나왔다. 나머지 마이너 카드 2장으로 구체적인 내용을 연결시키는 통변을 한다.

[문 5] 디자인학과에 재학중인데 도자기. 섬유. 금속공예 중에서 어떤 쪽으로 가야 하는지요?

서울 모 대학 디자인학과에 재학 중인데 도자기. 섬유. 금속공예 중에서 어떤 쪽으로 가야 하는지 궁금하여 각각 3 카드 배열로 상담자가 9장을 뽑았다.

1. 도자기 공예: 마법사. 소드 소년. 탑
2. 섬유공예: 매달린 사람. 고위 여사제. 스타
3. 금속공예: 완즈여왕. 소드 8. 교황

1. 도자기 공예 통변

마법사는 도자기에 대한 재능과 관심이 많고 여러 도구를 활용하는 기술적 능력을 갖추었고 자부심이 대단했다고 볼 수 있다. **소드 소년은** 그러나 시작부터가 스트레스를 받고 있고 도자기를 만드는데 어느 한부분이 결정적인 문제가 있는것을 **탑 카드로** 알 수 있다. 실제로 도자기를 만들 때 한부분이 계속 실패하여 정신적인 고민이 많다고 한다.

탑 카드는 근본적으로 자신의 결함을 극복하는데 크게 노력하지 않으면 결국 도자기 공예를 포기할 수 있다고 설명
할 수 있고 자신의 핸드캡을 극복하면 마법사의 큰 능력을 발휘할 수 있다.

2. 섬유 공예 통변
매달린 사람은 도자기에 비해 현재는 좀 힘들고 인내하며 충분한 시간을 가지고 공부를 하면 무한한 가능성을 내포하고 있다. **고위 여사제는** 실력을 전문적으로 갖추어야 하고 대학원까지 진학을 해서 공부를 해야 한다.

스타 카드는 처음에는 고생을 하지만 나중에는 큰 결과의 성취를 볼 수 있고 그 분야에서 최고의 명예를 얻을 수 있다. 또한 3장의 메이저 카드는 섬유공예쪽의 능력을 크게 두각을 시키고 잠재적 가능성이 제일 높다. 교수나 공예전문가로 세상에 이름을 떨칠 수 있다.

3. 금속 공예 통변
완즈 여왕은 당당하고 실력있는 모습이지만 **소드 8는** 이쪽으로는 관심이 없어 하기 싫어하거나 노력을 하지 않는 상태를 말하고 현실적으로 금속공예쪽으로 큰 메리트를 느끼지 못하고 있다. **교황 카드는** 현실적으로는 금전

운이 약할 수 있고 관심이 없으면 답답할 수 있는 계통일 수도 있다. 본인 말로는 전혀 이쪽으로 관심이 없고 취업을 나가기 싫다고 말한다.

4. 결론

9장의 카드에서 메이저 카드나 마이너 카드로 진로적성을 분석할 수 있다. 디자인(예술)계통은 **마법사. 스타. 탑(인테리어.조형물제작)카드**로 볼 수 있으며 대학원 공부는 **고위 여사제.** 인지도가 높은 디자인 회사는 **교황 카드**로 분류해 볼 수 있다.

섬유 공예쪽의 카드 모두 메이저 카드라 주력업종이고 보조로 도자기 공예를 선택하는 것이 좋은데 본인 말로도 섬유공예와 도자기 공예 두 가지를 전공을 하고 싶다고 했다.

도자기 공예는 학교 밖 외부 선생을 찾아 사사를 받으며 큰 도움이 될 수 있다고 조언을 해 주었고 취업을 나가더라도 대학원에 진학하여 병행을 해 나간다면 디자인업계에 대성할 수 있다고 용기와 희망을 주었다.

[문 6] 내년에 67세가 되는데 나에게 남자가 생길 수 있는지와 금전운은 좋아지는지요?

[연애운]

1, 완즈 기사

2. 완즈 4

3. 완즈 5

완즈 기사는 비슷한 연령자와 연애를 할 수 있고 만날 수 있는 행동과 열정을 가지면 빠르게 진행될 수 있다. **완즈 4는** 사랑의 결실과 재혼을 희망하는 남자가 나타날 수 있다.

완즈 5는 현실과 부딪히는 문제들과 싸워야 하며 투쟁이라는 적극적인 자세와 행동이 있어야 원하는 것을 성취할 수 있다. 그렇지 않고 좋은 감정으로 만났지만 다수가 있어서 방해가 되고 의견이 서로 달라 끝까지 가지 못하고 깨질 수 있다고 통변할 수 있다. 실제로 나이에 비해 상당한 젊은 미모를 지녔지만 성향이 강해 남자와 연애하기가 쉽지 않고 만족하지 못한다고 한다.

[금전운]

1. 소드 5

2, 펜타클 8

3. 펜타클 10

소드 5 카드는 지금까지 실속이 없고 금전적으로 힘들었으며 마음고생을 많이 했다고 보인다. 실제로 사업도 해보았지만 실패를 하였고 자식들에게 금전적으로 많이 들어 갔다고 한다.

펜타클 8 카드는 큰 돈은 아니지만 꾸준히 조금씩 돈이 들어오는데 현재 조그만한 건물을 가지고 있는데 세입자에게 임대료를 받고 있다고 한다. **펜타클 10 카드는** 지금보다 안정이 되어가고 편안한 마음으로 금전적 여유를 가질 수 있다고 설명할 수 있다. 만약 경제력 있는 남자를 만나 재혼을 하면 엄청난 경제력의 후원을 받을 수 있다.

[결론]

애정운은 3 **카드가 완즈 카드로만** 배열이 되어 있어 완즈는 열정. 행동. 적극적 사랑 표현을 가지고 움직이면 반드시 남자를 만날 수 있다. 금전운은 지금까지 금전적 손실로 상처를 받았지만 서서히 경제적 안정을 되찾을 수 있다고 보여진다.

만약 현재 사업을 하고 있다면 대박이 날 수 있다고 통변할 수 있지만 아무 일도 하지 않는다면 편안한 가정에 자식들의 도움도 어느 정도 혜택을 누릴 수 있다고 설명 할 수 있다. 실제로 자식 2명은 안정적인 직업에 종사하고 능력을 갖추고 있다고 한다.

[문 7] 미용학과에 다니는 학생인데 내년에 취업을 나가 잘할 수 있는지요?

1. 완즈 9
2. 컵 5
3. 소드 기사

직장에 들어가 시작하는 모습은 **완즈 9로** 2% 부족으로 미용실력 부족을 의미한다. 직장을 다닌다면 눈치를 봐야 하는 상황이고 업무가 많아 과로로 인한 육체적 스트레스가 많을 수 있다. 신경성이 약간 있다고 통변할 수 있다.

과정은 컵 5로 상실감에 빠질 수 있고 자신의 감정이나 대인관계. 건강에 있어서 정신적 고통이 따른다고 보여진다. 3년간은 고생을 할 수 있고 디자이너를 취득하기 위한 시기로 잡아야 한다. 이 과정을 인내하지 못하면 빨리 미용업을 포기하는 것이 좋다. 왜냐하면 **컵 5의 키워드는** 미련보다는 새로운 출발을 해야 좋다는 의미가 있다.

결과는 소드 기사로 긍정적 의미로는 숙련된 기술로 수완이 뛰어나고 능력을 발휘할 수 있으며 현재보다 훨씬 더 좋은 기회가 생겨 변동할 수 있다. 그렇지만 힘든 고비를 넘기지 못하면 충동적으로 경솔하여 급하게 빠른 변화를 두려는 부정적인 측면도 있다.

따라서 **컵 5의** 상황에 따라 소드 기사의 통변이 달라질 수 있다. 결론적으로 이 학생은 직장에 들어가 실무경험 3년 기간을 잘 극복하면 상당한 실력발휘를 할 수 있고 조건이 좋은 곳으로 이동할 수 있다고 할 수 있다.

[문 8] 50대 초반 남자인데 새로운 업종으로 취업을 잘할 수 있을까요?

남편이 최근 퇴직을 하고 새로운 업종으로 이직을 준비 중인데 나이가 있다보니 남편이 고민이 많다고 한다.

1. 소드 소년
2. 펜타클 5
3. 컵 왕

현재의 모습은 소드 소년(시종)으로 자기 의지대로 밀어 부치고 민첩하며 패기가 있으나 시작 자체가 신경을 써야 하며 스트레스를 받고 있다. **과정(펜타클 5)은** 업체나 지인을 통하여 취업을 할 수 있으며 본인이 하고자 하는 의지가 있으면 빠른 시간내로 취업이 해결할 수 있다고 통변한다.

결과(컵 왕)는 책임감과 결과를 얻을 수 있기 때문에 본인이 원하고자 하는 업종에 빨리 적응하여 자리를 잡아 갈 수 있고 또한 나중에는 자기 사업화에도 가능하다고 설명할 수 있다. 시기적으로는 올 겨울부터는 직장 안정이 될 수 있다.

[Tip] 상담 받는 자세

상담하다 보면 예민하고 까다로운 손님이 많다. 특히 타로 상담은 애정운을 보는 경우가 대부분이다. 본인이 원하는 답을 정하여 거기에 맞추어 상담을 받고 싶어 하는 여성분들이 종종 있는데 타로 상담은 다른 점술과는 달리 심리상담을 통하여 현재 자신에게 올바른 판단을 하여 결정 할 수 있도록 조언 해주는 특징이 있다.
단순히 자신이 바라는 상태로 상담 해주지 못하고 올바른 조언을 해주면 받아들이지는 못하는 경향이 많다. 타로 리더가 순수한 열정을 가지고 조언과 현재 고민을 풀어 주고자 간혹 목소리에 힘이 들어가 자신에게 혼내는 것처럼 오해하는 경우가 있는데 그런 경우는 상담 내용을 신뢰하지 못하고 부정적으로 받아들이기 때문에 만족하지 못한다. 사주나 점술 상담은 상담자와 내담자의 소통과 신뢰 없이는 적중률도 떨어지고 만족할 만한 상담을 이룰 수 없다.
따라서 상담가를 신뢰하지 않고 불신과 의심이 강한 손님들은 어느 누구에게도 상담 자체가 충족이 안된다. 순수한 마음으로 상담가에게 신뢰를 하는 자세로 상담을 받으면 점술의 효과가 극대화가 되어 상담을 만족시킬 수 있다는 것을 인지해야 한다. 결국은 상담의 효과를 얻으려면 내담자(손님)와 상담자의 정신적인 기운의 소통 교감이 신기발로(神氣發露)가 되어진다.
動 卽 占
不 動 卽 不 占
동하면 점사가 발동되고 동하지 않으면 점사가 발동되지 않는다.

[문 9] 현재 백화점에서 의류 매장을 운영하는데 이전을 해야 할지 고민이 많은데 이동수가 있는지요?

1. 펜타클 에이스
2. 컵 7
3. 운명의 수레바퀴

현재 상황은 펜타클 에이스의 긍정적인 의미로 무조건 매출이 좋다고 통변하면 안되고 주변 카드와 비교하여 설명해야 한다. **컵 7는** 생각이 많고 현재 장사가 만족하지 못하고 있어 고민과 번뇌가 많으니 펜타클 에이스를 보고 매출의 기복이 심하다고 통변해야 정확하다.

그만큼 각자의 키워드를 다양하게 전후 상황에 맞게 통변하는 능력을 갖추어야 진짜 타로 마스터가 되는 것인데 그만큼 순발력과 직감과 어휘(키워드)구사력이 고정되지 않고 자유롭게 통변하는 자세가 중요하다.

여기서 핵심 카드인 운명의 수레바퀴는 절반만 성공이라 더 노력해야 완성할 수가 있다. 현재는 좀 더 노력해야 하는 시기이다. 이 운명의 수레바퀴는 그전 과거부터 현재까지 반복이 되거나 새로운 시작이나 결과를 내지 못하고 계속 진행 상태인 경우가 많기 때문에 시기적으로 매출의 기복이 있고 또한 요즘 경기가 안 좋아 어쩔 수 없이 현재 상황을 순응해야 하는 것이 운명의 수레바퀴의 통변이다.

결론적으로는 아직은 업장 이전보다는 여기에 있어야 한다. 또한 **운명의 수레바퀴는** 이동, 이사 등의 키워드로 다른 곳의 조건이 맞다면 이동하고자 하는 마음이 강하나 쉽게 결정을 못한다. 실제로 여기에서 4년 정도 운영을 했다고 하는 것은 **펜타클 에이스를** 보고 알 수 있으며 현재 8월이 가장 힘들다고 하는 것은 여름(6.7.8월)기운 컵 7을 보고 알 수 있으며 아마 12월 겨울이 되어야(펜타클 에이스) 매출이 안정될 수 있다고 보이며 이번 추석 명절 매출은 고전할 것으로 보인다.

[문 10] 현재 필요한 자격증을 취득하는데 수백만원이 들어 간다고 하는데 해야 할까 말아야 할까?

현재 기혼여성으로 10년 경력의 필라테스 강사인데 자격증 비용이 부담스러워 지금 취득해야 하는지 출산 후 시간이 지나서 취득을 해야 하는지 고민이 많다고 한다.

1. 완즈 10
2. 완즈 3
3. 완즈 7

완즈 10는 힘들고 버거우며 부담스러운 상황이다. 하지만 직업을 유지하기 위해서는 반드시 취득해야 하는 자격증이지만 자격증 비용이 부담스럽다는 것을 알 수 있다. 이 카드가 나오면 지금까지 역량을 쌓아 놓아 힘이 있는 숙련된 전문가는 힘이 들어도 이겨 낼 수 있지만 경험이나 능력이 아직 미숙한 이제 시작하는 초보자나 신입사원일 경우는 너무 버겁고 힘든 카드이다.

현재 10년이 넘는 경력의 전문 베테랑이지만 결혼과 출산 후 몇 년의 세월이 흘러 유행이 바뀌어 자격증을 새롭게 취득해야 한다고 한다. **3장의 완즈 카드라** 직업은 육체적인 활동이 강한 필라테스 강사이다.

완즈 3는 바닥에 꽂힌 3개의 막대기는 그가 노력한 대가로 이미 성취한 것을 나타낸다. 그러나 멀리 지평선을 바라보고 있는 모습에서 알 수 있듯이, 그에게는 아직도 할 일이 많기에 도전의 카드이기도 하다.

완즈 7는 인내와 자신감, 용기를 가지고 대처한다면 머지않은 장래에 반드시 성공할 수 있음을 나타내는 카드이다. 힘겹고 버거운 상황이고 본인이 스스로 만들고 있는 경우도 있다. 너무 무리하면 안된다.

결론적으로 지금 당장 자격증을 취득한다고 해도 극복해야 할 어려운 상황이 있다. 따라서 지금 당장 무리하게 욕심을 내는 것보다는 주변상황이 안정이 되었을 때 취득하는 것이 좋다.

타로상담 후 얼마 안되어 전화가 왔는데 학원에서 출산 후에도 자격증을 취득하는데 지금처럼 조건을 맞추어 준다고 했으니 지금 당장 자격증을 따지 않아도 된다고 고민이 풀렸다고 한다. 따라서 **완즈 7.10의 성향으로 보아** 현재는 무리수가 따른다는 것을 알 수 있다.

[Tip] 스토리 텔링과 통변술

타로카드의 적중률은 **카드 1장의 양면성(음양:긍정/부정)을 파악**하고 **전체 카드의 전후 관계(연계성)**을 통하여 배열법을 뛰어넘는 **보편타당한 스토리를 전개**해야 한다.

그리고 카드 그림과 상징과 메뉴얼의 기본해석과 상담자의 직관과 명상을 토대로 통변해야 하고, 가장 중요한 것은 **펼쳐져 나온 타로카드들을 질문 상황에 맞추어 얼마나 연계적으로 스토리를 짜 내느냐에 따라 달려있다.**

또한 타로카드를 상담의뢰자에게 잘 통변해 주기 위해서는 다양한 어휘와 상담의뢰자의 수준에 맞추어 조언을 적지적소에 사용하여야 한다. 따라서 타로리더는 언어에 달인 될 정도로 많은 어휘와 상징들 그리고 비유와 은유에 통달해야 한다.

[문11] 아들이 관재소송이 걸려 있는데 앞으로 결과는 어떻게 나올까요?

1. 완즈기사
2. 광대
3. 컵 에이스

완즈 기사는 어느 정도 소송이 진행상황이 빠르고 곧 결정이 날것으로 보인다. **광대는** 무모하고 무계획적이며 충동적이며 불안정하며 용두사미의 의미를 가지고 있다. 지금까지 아들이 사고를 많이 내서 엄청난 돈이 들어갔다고 한다. 민사 형사건 여러건이 겹쳐있고 검찰출석까지 하지 않아 죄가 더 무거워질 수 있다고 한다.

열정은 있지만 제멋대로 살아왔다는 것을 **완즈 기사와 광대 카드로** 알 수 있고 또한 부모 도움으로 지금까지 살아온 것도 짐작할 수 있다.

컵 에이스는 긍정적인 측면으로 좋은 의미의 새로운 시작하는 행복을 뜻하는데 현재 상황으로는 부정적인 측면이 더 강하여 슬픔에 대한 결과를 받아들이는 새로운 시작을 형을 집행 받아 구속되는 것을 의미한다. 실제로 아들은 변호사 선임도 포기하고 구속되는 것을 받아들이려는 마음이 강하다고 한다.

결론적으로 광대 카드가 핵심 카드이다. 광대는 주변 도움을 받아야 하는데 이번에는 부모도 포기했다고 하니 혼자 스스로 해결하기에는 역부족이라 아마 구속될 확률이 높다. 구속 수감된다면 어느정도 살 수 있느냐 물어보아 추가로 한 장을 뽑아보니(**완즈 8**) 6~12개월 사이로 추정할 수 있다.

[문 12] 남편이 올해는 정말로 승진할 수 있는지요?

친척 회사에 다니고 있는 남편이 승진이 자꾸 미루어져 스트레스가 이만저만이 아니라고 한다. 회사내에서 능력이 특출하여 인정을 받고 있지만 직장내에 보이지 않는 불화가 있었다고 한다.

현재의 모습(소드 7)은 불안정한 모습이며 지금까지 승진문제에 대해서 말썽이 많아 스트레스를 받았다고 보인다. 소드 7속에 있는 사람을 승진할 당사자를 의미하는 것인지 아니면 방해자나 승진을 결정하는 상사인지 구별해야 한다.

소드 8 속에 있는 사람은 상황판단이 안되고 있으며 이러지도 저러지도 못하는 상황은 당연히 승진을 기대하는 당사자라는 것을 유추해 볼 수 있다. 따라서 타로점은 순간 직감이 필요하는 순발력이 필요하다. 또한 심도있게 사유를 해야 하는 점술이다.

타로가 배우기는 쉽게 접근할 수 있지만 다양하게 통변할 수 있는 능력을 갖추기에는 상당히 어렵다. 처해진 상황에 따라 다양한 해석을 유추해야 하기 때문에 누구나 쉽게 배우기는 하지만 제대로 활용할 수 있는 고수가 되기에는 상당한 시간과 열정이 필요하다.

소드 7의 비열하고 머리좋은 사장이나 직원 중에 승진 방해자가 있었다고 하는데 작년 연말에 승진하지 못하여 마음고생을 많이 했다는 것을 **소드 8을** 보고 알 수 있다. 또한 소드 카드 2장을 보고 소드의 키워드인 갈등. 스트레스가 컸다는 것을 알 수 있다.

아직까지도 뭔가 석연치 않아 이번 연말에 승진하는데도 불안하다는 것을 느낄 수 있는데 현재 방해했던 사장이나 직원이 모두 퇴직을 하였고 최근에 회사 세금 문제를 해결하여 이번 승진 기대를 많이 하고 있다고 한다.

결과 카드인 컵 2는 승진할 수 있는 모습인데 지금까지 마음고생을 다 해결하고 승진하는 긍정적인 통변을 할 수 있는데 왠지 소드의 마지막 카드인 **소드 10이 아닌 8이라** 아직 조금 승진하는데 부족한 기운을 느껴 부가적으로 여러 장의 카드를 뽑아보니 역시나 부정적인 카드가 많아 승진할 수 있다고 확신할 수 없다.

따라서 회사 규정으로는 승진 케이스가 되는데 회사의 변수작용이 있을 수 있다고 하면 애매모호한 통변이 되므로 승진할 수 있는데 약간의 변수작용이 있어 그 문제만 해결이 된다면 승진이 된다고 통변해야 실수 없는 만족스런 상담이 된다.

[문 13] 7 카드 실전통변 (재회운)

최근에 헤어진 연인에 대해서 재결합 할 수 있는지 궁금하여 애정운을 보러왔다. 7 카드 배열법으로 7장을 순서대로 상담자가 뽑았다.

1. 과거: 소드 소년
2. 현재: 펜타클 7
3. 미래: 죽음
4. 문제점.해결방안: 완즈 여왕
5. 상대의 속마음: 소드 10
6. 본인의 속마음: 소드 9
7. 결과: 펜타클 에이스

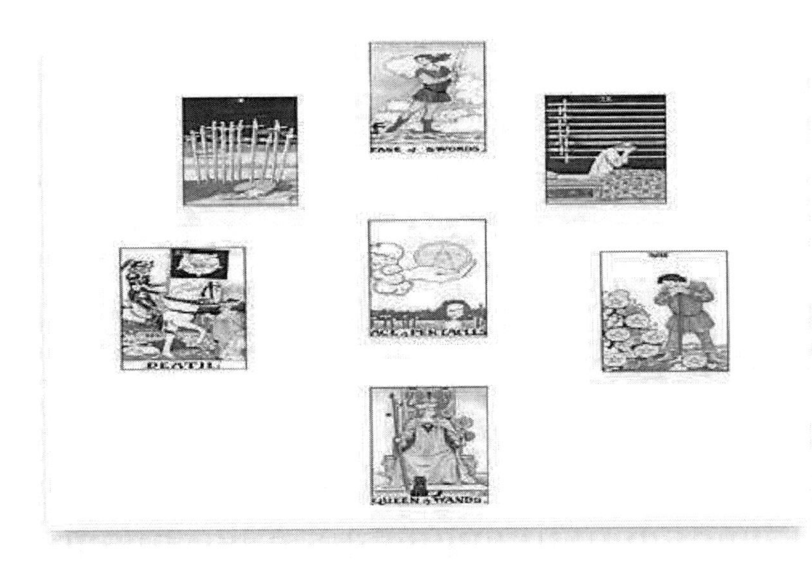

두 사람의 관계(연애. 일. 친구)를 볼 때 7장의 배열법으로 전체적이고 종합적으로 본다. **과거(소드소년). 현재(펜타클 7)카드와** 두 사람의 모습을 보

고 4장의 카드 중에 3장이 소드 카드이다. **소드(칼)의 의미는** 논리. 지성. 지혜. 사고. 판단. 분석. 투쟁 등을 나타낸다. 여기서 두 사람의 애정에 관해서 본다면 서로 생각하는 애정 방식이 맞지 않는다는 것을 알 수 있다.

소드 소년은 연애 시작부터가 힘든 시작이다. 상대 남자의 모습은 **소드 10은** 분명히 두 사람 관계가 힘들어서 결국 남자가 이별 선언을 했냐고 하니 맞다고 한다. 처음에는 남자가 적극적으로 대쉬하다가 사귄지 한달도 안되어 여자 쪽에서 자기를 안 좋아한 것 같아 이별하자고 했다고 한다.

여자의 모습은 괴로워 하고 있는 모습이고 한번 붙잡았지만 거절 당했다고 한다. 두 사람이 크게 싸우지 않았다면 남자친구의 과거 전 여친과 비교가 되어 심적 괴로움이 컸다고 하니 오랫동안 사귄 전 여친이 있었다고 한다.

현재 카드가 펜타클 7의 모습은 망설이고 고민에 빠져 생각하고 있는 모습이다. 그러면 왜 남자가 이별을 했을까? **문제점. 해결방안 카드에 완즈여왕을** 보고 통변한다. 이 여왕의 모습이 여자의 모습(전여친.현여친)으로 입체적으로 추리하여 다양하게 설명을 해야 한다. 그만큼 추리력이 뛰어나야 한다.

이런 통변을 못하면 1 카드로 다시 뽑아서 단답형 통변으로 설명해야 한다. **완즈 여왕을 보고** 적극적으로 애정표현을 해야 하는 것인지 아니면 일방적으로 여자 스스로가 너무 설쳐서 문제가 되었던 것인지는 전체적인 카드를 보고 유추해야 한다.

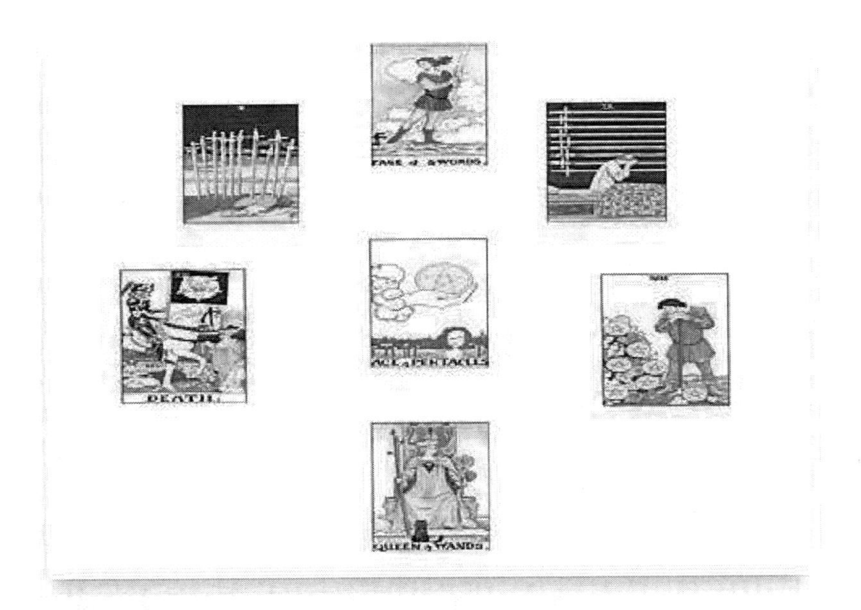

단기간 연애를 했지만 아마 여자 쪽에서는 많이 좋아했으나 겉모습과 애정 표현방식이 소심하여 남자 쪽에서 부담스럽게 보일 수도 있다. **유일한 메이저 카드 죽음 카드가 미래 카드로 나왔다.** 옛 애인을 잊지 못하여 새로운 사람과 잘 안되거나 만나지 못하기 때문에 과감히 새로운 출발을 해야 하는 카드이다.

결국은 새로운 남자를 만나 새 출발을 하거나 아니면 시간이 지나 남자쪽에서 완전한 변신을 하여 새롭게 시작해야 애정이 살아날 수 있다. 여자쪽에서 현재 이별의 모습을 받아드리지 못하고 결국 미래 어느 시점이 되어야 두 사람의 연인관계가 정리 될 수 있다.

죽음 카드는 새로운 시작. 새로운 전환점. 전화위복. 파격적인 변신 등으로 이 애정문제를 극복해야 한다. 그렇지 못하고 다시 쉽게 재결합을 하거나 기존 애정스타일을 바꾸지 못하면 또다시 이별할 수 있어 후유증이 클 수 밖에 없다고 조언을 해주어야 한다.

결과 카드에 펜타클 에이스이다. 단순히 결과카드만 보고 애정이 다시 살아나 행복해진다는 긍정적인 해석을 하면 큰 실수를 하게 된다. 전후관계 종합적 해석이 어려우니 정방향 역방향을 구분하여 대부분 해석을 하지만 여러 장의 배열로 종합적 해석을 하면 역방향을 굳이 보지 않아도 해석을 다양하게 유추할 수 있다.

이 카드를 긍정적으로 해석하면 시간이 상당히 걸려야 애정이 살아날 수 있다고 설명할 수 있으며 부정적으로 해석하면 육체적인 사랑이 크기 때문에 아마 두 사람의 성적인 관계에 문제가 있어 이별의 원인이 될 수도 있다. **현재. 미래 카드가 부정적이면 결과 카드도 부정적으로 해석해야 하고** 5번 상대의 속마음이 아직 사랑이 살아 있으면 긍정적으로도 해석할 수 있다.

그만큼 7장 카드를 전체적으로 분석해야 하며 어차피 거의 끝난 애정운이지만 상담자가 남친을 잊지 못하여 재결합 할 수 있는 방법을 원하여 상담받으러 왔다면 **4번 완즈 여왕 카드와 메이저 카드 죽음 카드 2장을 가지고 조언과 해결 방안을 찾아야 하는데** 그 답은 여자쪽에서 기다리지 말고 적극적으로 표현하고 분위기를 새롭게 유도해도 남자쪽에서 받아들이지 못하면 스스로 정리해야 한다고 설명해주어야 한다. 7장의 카드 중에 감성과 애정을 의미하는 컵 카드가 1장도 없다는 것도 문제이다.

[문 14] 7 카드 실전통변 (이직운)

현재 미용사인데 아는 지인이 운영하고 있는 샵에 오라고 하는데 그 지인과 나와 맞는지 궁합을 보러 왔다. 두 사람의 사주를 보고 마지막으로 상담자가 7장의 타로를 뽑아 타로점을 보았다.

1. 과거: 소드 10
2. 현재: 컵 3
3. 미래: 팬타클 에이스
4. 문제점.해결방안: 정의
5. 상대의 모습: 컵 6
6. 본인의 모습: 황제
7. 결과: 소드 6

두 사람의 관계(연애.일.친구)를 볼 때 7장의 배열법으로 전체적이고 종합적으로 본다. **과거에 소드 10는** 주변상황 등 여러가지 고민에 빠져 결정을 못하고 있지만 현재의 모습을 보고 거의 새로운 시작을 할 수 있는 시기가 왔음으로 보여준다.

가는 곳이 장거리라 출퇴근이 어려워 이사를 가야 되고 기혼자라 주말부부로 지내야 하는 어려움이 있어 쉽게 결정을 못하다가 **현재 컵 3은** 서로 축배를 들고 진행되기 때문에 두 사람과 상담자 남편 세 사람이 서로 소통이 되고 해결하는 모습으로 보여진다.

상대방의 모습은 컵 6으로 원래 두 사람이 알고 지내왔던 사이라는 동료를 나타내고 상담자에게 다시 도와 달라는 재부탁하는 모습으로 보인다. **본인의 모습은 황제 카드라** 책임감이나 리더십(카리스마)은 있지만 권위와 완고한 면이 강하여 기존 직원들과의 관계 형성이나 확실한 근무조건이 맞지 않으면 트러블이 생길 수 있기 때문에 근무하기 전에 서로 확실한 조건을 제시하여 공사를 구별을 해야 한다.

문제점. 해결방안(조언)은 정의 카드로 원리원칙과 분명한 일 처리면에서는 좋지만 융통성이 떨어져 답답한 부분이 있기 때문이다. 핵심 카드인 메이저 카드가 본인의 모습과 문제점. 조언 카드에 나왔기 때문에 본인 상담자의 주변 상황과 근무조건이나 직원들(5명)과의 관계 등을 꼼꼼히 따져 보아야 한다.

미래는 펜타클 에이스로 여유롭고 안정적인 새로운 시작이나 사업을 의미한다. 좋은 조건으로 시작할 수 있다. **결과는 소드 6으로** 이동, 이사를 의미하고 긍정적으로 본다면 현재 상황보다 좀 더 나은 조건으로 새로운 곳으로 이직하는 상태로 해석할 수도 있고 부정적으로 본다면 좋은 조건으로 이직했는데 상당한 스트레스를 받고 또 다시 이직해야 한다는 의미도 통변할 수 있다.

아직은 두 사람이 확실한 계약을 하지 않는 상태이기 때문에 이직 후의 모습보다는 현재 이직하여 이동하는 모습으로 설명할 수 있다. 그렇지만 질문 내용이 현재 확실히 이직하는데 거기에 가서 잘할 수 있을까요? 질문을 한다면 **소드 6은** 힘든 상황을 극복해야 좋아진다고 통변할 수 있으며 그렇지 못하면 새로운 곳으로 또 이직하게 될 수 있다고 해석해야 한다.

이처럼 질문 요지에 따라 다양하게 해석이 달라진다는 것을 느껴야 한다. 그만큼 상담자의 질문을 확실하게 분석하여 현재 상황에 맞추어 통변기법을 터득해야 한다. 굳이 타로 공부 안 해도 신기나 직감(눈치)이 발달하면 단순하게 1 카드로 O.X로 답하여 적중시킬 수 있다. 그렇지만 타로 상담은 현재 상담자의 상태를 분석하여 상담자가 올바른 판단 결정을 할 수 있도록 조언 해주는 것이 진정한 고급 타로점술이라고 볼 수 있는 것이다.

[문 15] 7 카드 실전통변 (궁합)

모친이 찾아와서 작은 아들이 재혼하고자 하는 외국여자가 있는데 서로 인연이 되는지 궁합을 사주와 타로점을 보았다.

1. 과거: 교황
2. 현재: 운명의 수레바퀴
3. 미래: 완즈 여왕
4. 문제점.해결방안: 펜타클 4
5. 상대의 모습(여자): 컵 8
6. 본인의 모습(남자): 황제
7. 결과: 펜타클 6

두 사람의 관계(연애. 일. 친구)를 볼 때 7장의 배열법으로 전체적이고 종합적으로 본다. **과거(교황)는** 두 사람의 관계를 볼 수도 있고 각자의 과거 연애의 모습을 나타날 수 있다. 남자는 한번 결혼하여 실패한 돌씽남자이고 여자는 과거에 깊은 남자관계가 있었다. 두 사람은 결혼을 약속한 모습으로 **교황카드는** 사랑과 자비라는 키워드와 물상적으로 보면 결혼하는 모습을 연상할 수 있다.

이미 두 사람은 결혼을 약속한 상태를 의미한다. **현재(운명의 수레바퀴)는** 외국(태국)과 인연이 있고 운명적인 만남을 가지고 있으며 여자가 외국에 있어 해외 장거리 연애를 하고 있다. **상대의 여자의 모습(컵 8)은** 떨어진 상태를 의미하고 결혼직전에 깨질 수 있다는 불안한 마음도 있다.

남자의 모습(황제)은 결혼을 나타나며 책임감이 강하고 현재 공무원이다. 과거와 현재. 두 사람의 모습이 메이저 카드가 강하다. 두 사람의 결혼에 대한 인연이 깊은 상태라는 것을 알 수 있다. **미래(완즈여왕)는** 결혼 후 열정과 능력 있는 여자의 모습도 있지만 의심. 불안으로 남편을 자기 스타일로 통제하려는 모습이 보인다.

그러나 남자도 황제의 모습을 가지고 있기 때문에 서로 자기위주의 성향은 부딪칠 수 있다. **결과(펜타클 6)는** 한쪽이 매달린 모습일 수도 있고 순수한 사람의 감정보다는 현실적으로 자기위주로 상대를 저울질하는 관계가 되어 서로 순수하게 아껴주는 사랑이 아닐 수 있다.

문제점. 해결방안(펜타클 4)는 사랑과 감정이 인색하여 분배 불가능하고 대화불통, 자기 방어가 강하여 부부간에 소통이 안 될 수 있어 문제가 될 수 있으니 이러한 감정을 버리고 상대방을 위해서 배려와 포용심을 가져야 부부관계가 안정이 될 수 있다.

따라서 두 사람의 관계는 운명적인 국제연애 인연이 맺어 주었지만 결혼 후 현실적인 문제와 부부소통의 부재가 힘들 수 있다는 것을 느낄 수 있다. 여자쪽의 비자문제로 결혼을 하지 못하면 한국으로 들어 올 수 없기 때문에 결혼을 서둘러고 한다고 한다. 두 사람의 결혼의 인연은 있지만 살아가면서 주변여건 문제와 서로 아끼는 마음이 없이는 또 이별할 수 있는 불안한 생활이 될 수 있다.

[Tip] 타로점의 적중률 차이

타로점을 치다 보면 잘 맞는 경우가 있고 그렇지 않은 경우가 있다. 잘 맞는 경우는 상담의뢰자가 간절하게 묻거나 또는 상담의뢰자의 영혼이 순수하고 맑을 때이다. 반대로 타로점이 잘 안 맞는 경우는 상담의뢰자가 장난식이나 가벼운 마음으로 그냥 재미보듯 물어 볼때가 많다.

또한 상담의뢰자가 타로점을 믿지도 않으며 타로리더를 신뢰하지 않고 영혼이 깨끗하지 못할 때 타로점이 잘 안 맞는다. 따라서 **타로점의 적중률이 높으려면 상담자나 상담의뢰자가 모두가 타로점을 신중하게 진지하게 대해야 한다.**

[문 16] 7 카드 실전통변 (합격운)

20대 후반의 여성분이 국가 자격시험을 준비 중인데 합격할 수 있을까요?

1. 과거: 소드 에이스
2. 현재: 달
3. 미래: 컵 2
4. 현재의 영향력: 소드 2
5. 문제점: 소드 3
6. 해결방안(조언): 소드 왕
7. 결과: 컵 기사

과거. 현재. 현재 영향력의 3장 카드로 현재까지 모습을 알 수 있다. **소드 에이스. 소드 2. 달 카드는** 상당히 어려운 시험이라는 것을 보여주고 있다. 직장생활을 하다가 생소한 공부를 시작하였다고 한다. 시작은 내 의지를 가지고 시험공부가 시작되었다는 것을 **소드 에이스를** 보고 통변한다.

현재의 모습은 근심걱정과 답답함이 보이고 있고 공부를 하는데 스트레스를 엄청 받고 있다. **(소드 2. 달)** 왜냐하면 **문제점인 소드 3은** 불합격 할 수 있는 원인이 있는데 아직 기본공부가 안된 과목이 있다고 한다. 현재 시험 준비기간이 얼마되지 안되었는데 현재 실력으로는 1차 합격도 할 수 없다는 것을 감지 할 수 있다.

미래 카드인 컵 2는 안정이 되어 보이고 실력이 향상이 되어 가능성이 있어 보인다. 고민했던 부분이 어느 정도 해결이 되어 자신감이 생겨 합격할 수 있다는 자신감이 생긴다. **결과 카드인 컵 기사는** 합격이라는 완성보다는 어느 정도합격할 수 있는 과정으로 보아 1차시험 합격으로 볼 수 있고 2차 합격은 좀더 분발해야 가능성이 있다.

조언 카드인 소드 왕은 이성적, 논리적, 냉정, 냉철한 키워드를 가지고 있고 전문직, 세무사, 회계사, 검찰공무원에 어울린다. 또한 완성을 이루기 위해 공부에 매진해야 하는 의지가 강해야 합격 할 수 있다.

결론은 어떤 자격시험인가를 알기 위해서는 메이저 카드인 **달과 4장의 소드의 마이너 카드를 보고** 유추해 볼 수 있는데 실제로 세무사를 준비한다고 한다. **소드 왕이** 바로 나왔다는 것이 핵심이고 또한 이성적, 논리적, 냉정, 냉철한 성향을 가져야 시험을 합격하더라도 직업으로서 만족할 수 있다고 통변할 수 있다.

[문 17] 10년 사귄 남자친구가 있는데 결혼할 수 있을까요?

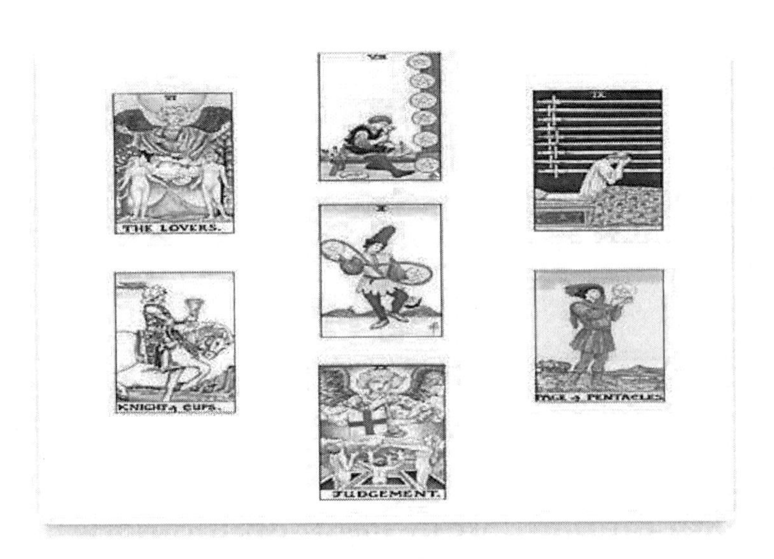

과거(펜타클 8)에 오랫동안 연인사이라는 것을 알 수 있다. 그러나 뭔가 두 사람의 애정에 대한 신뢰도가 2% 부족하다는 것을 **소드 9(여자의 모습)**를 보고 확인 할 수 있다. **남자의 모습(연인)에** 운명적인 연인 관계라는 것을 느낄 수 있지만 두 사람의 결혼관의 성향이 다르고 연애로서는 완벽하지만 결혼이라는 완성을 이루기 위해서는 아직은 부족한 상태이다.

현재(소년 펜타클) 결혼을 준비하려는 시작의 모습이고 **미래(기사 컵)는** 남자의 프로포즈에 대한 확신이 약하여(약간 부정적으로 통변) **결과(펜타클 2)모습에** 결정을 못하고 답답합 남자의 모습이 보인다. 남자 쪽에서는 결혼보다는 당분간은 연애에 충실 하자는 모습을 하고 있고 여자 쪽에 결혼에 대한 절실함이 강한데 서로 의견이 맞지 않아 괴로워 하고 있는 모습이 다. 과거 남자친구가 바람을 피워 크게 상처를 받았다고 한다.

연인. 기사 컵을 보면 남자가 이성에 대한 매력이 있고 끼가 있음을 알 수 있다. 남자는 여자를 사랑하지만 지금 당장 결혼생활에 대한 확신이 없고 이별도 하기 싫은 모습이다. **해결방안(심판)은** 재결합. 노력에 의한 성공. 남자 쪽에서 여자를 리더하는 모습 등을 알 수 있다. 결혼이나 이별 선언도 남자에 의해서 결정이 난다. 그만큼 남자의 선택에 따라 달라진다. 또한 현재 여자 쪽에서 남자를 이해하고 포용하여 받아들이는 자세를 취해야 원하는 결과를 얻을 수 있다.

결혼을 여자쪽에서는 서두르고 있는 모습이 오히려 부작용이 나타날 수 있으니 **심판**(시간이 걸림). **펜타클 8를** 보고 (2개를 채워야 함). **펜타클** 2를 보고 2년 정도 시간이 필요하는 것을 직감으로 느낄 수 있다. 아니면 두 남녀를 중재하는 **연인**(천사의 모습)과 **심판**(천사 나팔)카드는 양가 부모가 나서서 서두르면 해결할 수도 있다. 이런 리딩의 순간적인 순발력과 직관이 필요하고 자유자재로 처해진 상황에 맞추어 추리하는 능력을 키워야 한다

[Tip] 타로 운세별 상담

1. **애정운**: 상대의 속마음을 알고 싶고 나와 인연 유무
2. **커플궁합**: 연인과 같이 보는 애정운
3. **결혼운**: 결혼시기와 어떤 배우자와 인연이 있는지...
4. **자식운**: 현재 자식과의 관계와 언제 자식이 생기는지.
5. **직장운**: 다니고 있는 직장이 나에게 맞는지...
6. **재물운**: 현재 재물과 어느 시기에 재물이 들어 올지...
7. **진로적성운**: 타고난 적성과 학교, 학과 선택
8. **합격운**: 원하는 대학, 시험에 합격 유무
9. **취업운**: 언제 취직할 수 있는지...
10. **건강운**: 선천적으로 어디가 아픈지. 사고수...
11. **이사 이동운**: 언제 어디로 가야 할지...
12. **매매운**: 언제 매매가 될 수 있는지...
13. **사업운**: 창업시기와 현재 사업이 잘 될 수 있는지...

[문 18] 7 카드 실전통변 (애정운)

사귄 지 얼마 안 되는 남자가 있는데 앞으로 두 사람의 애정운에 대해서 궁금하여 상담자가 7장의 타로를 뽑았다.

과거(완즈 8)에 두 사람의 연애 시작이 빠르게 진행됨을 알 수 있다. 실제로 만난지 한번만에 사귀었다고 한다. 완즈는 열정을 가지고 행동이 강하다. **현재 (태양)는** 친구에서 연인으로 발전하고 서로에 대해서 잘 아는 상태의 연애이고 첫눈에 반한 연애 스타일은 아닌데 빠르게 사귀었다는 것은 철없이 너무 쉽게 기분대로 연애감정이 생겼다는 것을 알 수 있다. 또한 **여자의 모습(소드 8)을** 보고 태양카드를 부정적으로 통변해야 전후관계가 맞아 떨어진다.

남자의 모습(여왕 컵)은 컵뚜껑이 닫혀 있어 컵속에 무엇이 들어 있는지 모른다. 컵은 남자의 속마음일 수 있다. **여왕 컵카드를 보고** 남자의 성향으로 볼 수 있고 남자가 여자를 바라보고 느끼는 여자의 상태일 수도 있다. 이런 리딩이 어렵다. 전후 관계로 추리할 수 있는 통변이 필요하다.

현재 사귄지 얼마 안되었지만 여자쪽에서 느끼기에는 남자가 뭔가 숨기고 있는 것 같고 바람둥이 아니냐는 강한 의심을 가지고 있어 상담하러 온 것이다. 남자 쪽보다 여자 쪽에서 상황 판단을 못하고 불안과 어쩔 수 없는 상태를 소드 8를 보고 알 수 있다. **여왕 컵이** 여자라고 본다면 부정적이고 신경예민하고 우울한 성향을 지니고 있다고 보면 된다.

미래(펜타클 4)는 사랑과 감정이 인색하여 분배 불가능하고 대화불통, 자기 방어가 강해 상대를 위한 연애감정이 힘들다고 볼 수 있다. **결과(완즈 4)는** 노력에 대한 보상으로 사랑을 하여 결혼을 하는 카드인데 펜타클 4의 모습을 보고 노력하지 않으면 두 사람 애정의 결과는 힘들다고 통변해야 한다.

해결 방안(은둔자)은 정신적 사랑이 앞서야 하며 인내하고 기다리는 소극적인 자세가 중요하며 시간을 갖고 충분히 생각하는 연애를 해야 한다고 조언할 수 있다. 그러나 남자는 너무 쉽게 하는 연애감정과 육체적 사랑이 앞서고 여자는 자기가 원하는 연애방식으로 남자에게 바란다면 결국 이별할 수 있는데 여자보다는 남자쪽에서 이별선언 할 가능성이 높다. 남자는 열정적이고 자기위주이고 행동이 먼저 앞선다는 것이 **완즈 8. 태양. 펜타클 4**를 알 수 있다

[문 19] 최근에 남친과 이별을 했는데 다시 재결합을 할 수 있을까? (재회운)

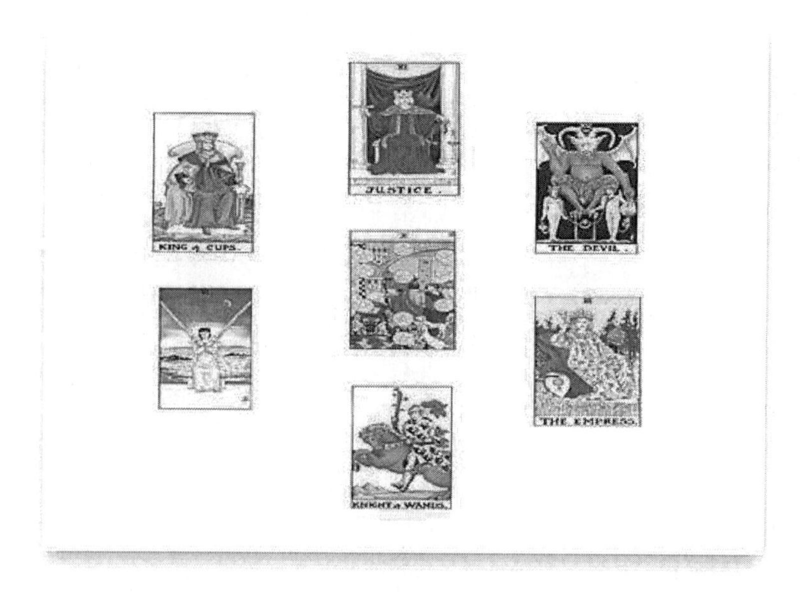

과거(정의)부터 두 사람의 애정은 예민하고 깐깐하며 스트레스로 인한 신경과민 있었다는 것을 알 수 있다. **현재(여황)의 모습을** 가지고 사랑받는 여자의 모습으로 긍정적으로 해석하면 앞뒤가 맞지 않는 통변이 된다.

부정적으로는 집착이 강하고 질투도 강하며 또한 사랑받지 못하는 여자로 통변하는 것이 적절한 통변이다. 왜냐하면 **여자의 모습(악마)에** 집착. 중독. 몸과 마음이 묶여 정상적이지 못한 애정을 추구하고 자기감정에 빠져 남자를 벗어나지 못하고 있는 상태이다. 그렇기 때문에 여황카드를 집착으로 볼 수 있다.

남자의 모습(컵 왕)은 부정적으로는 우유부단. 불안. 불신. 감정기복 심하고 끼가 있으면 주색잡기. 양다리를 의미한다. 또한 제멋대로. 기만적인. 감정 폭발 등의 의미를 가지고 있다.

과거부터 지금까지 여자 앞에서 확실하게 애정표현을 애매했다는 것을 알 수 있고 냉정하게 헤어진 것이 아니라 여자에게 여운을 남기는 듯한 우유부단의 행동이 여자쪽에서 쉽게 포기를 못할 수 있으며 남자가 여자를 사랑하지만 어쩔 수 없이 이별하자는 뉘앙스가 여자를 더 힘들게 할 수 있다.

이별 뒤에 현재 두 사람의 모습은 여자쪽은 너무 힘들고 남자는 전혀 힘들어 하지 않고 평온한 상태이다. **미래(소드 2)는** 여자가 갈등, 고민, 끝을 내지 못하고 진퇴양난에 빠질 수 있고 또 다른 남자가 들어와도 전 남친의 미련 때문에 고민하는 모습으로도 나타낼 수 있다. 아니면 전 남친이 새로운 여자가 들어와서 갈등하는 모습으로도 볼 수 있다.

결과(펜타클 10)는 이 부분의 해석도 무조건 긍정으로 해석하여 다시 재결합한다고 해석하면 안된다. 완전히 두 사람의 감정이 정리가 되어 편안한 상태로 지금의 고통이 벗어날 수 있다고 해석할 수 있고 아니면 상당한 시간이 흘러 두 사람이 다시 만날 수 있는 환경이 조성 되어야 재결합이 가능하다고 통변할 수 있다.

문제점. 해결방안(완즈 기사)은 완즈 기사를 보고 문제점과 조언을 두가지 측면을 설명할 수 있다. **완즈 기사는** 이동, 변동을 의미하거나 기사(남자).

말(여자) 두 사람이 열정을 가지고 적극적으로 행동을 취하는 것이다. 가을에 남자는 군대를 간다고 한다. 그러므로 남자가 더 이상 애정을 지속하기가 어렵고 자신이 없으니 이별하자고 했다고 한다.

해결방안은 군대 전후의 시기가 두 사람 관계가 결정 날 수 있으니 다시 재결합 할 수 있는 시기는 남친이 군인이 된 후에 두 사람 감정이 다시 살아날 수 있다고 조언을 할 수 있고 아니면 그 시기에 완전히 두 사람의 관계가 정리가 될 수 있다.

[문 20] 6 카드 실전통변 (애정운)

두 남녀가 찾아와서 두 사람의 애정운을 보고 싶다고 하여 각자 3장씩 타로카드를 뽑았다.

[남자]

1. 악마
2. 운명의 수레바퀴
3. 광대

현재상황에 악마 카드의 키워드는 구속. 집착. 중독. 육체적인 사랑에 빠져 있거나 뭔가 비정상적인 방법으로 사귀고 있는 모습이기도 하다. **운명의 수레바퀴는** 아직은 미완성이고 두 사람이 사귀고 있어도 현재는 좀 더 노력해야 하는 시기라는 내용을 내포하고 있다. 물론 긍정적인 측면에서 본다면 운명적인 사랑의 의미도 있다.

광대는 열정적이나 성급하고 부주의하며 시작은 좋으나 어설프게 마무리가 안좋아 불안정한 연애를 할 수 있다. 따라서 현재 애정이 불안한 상태라는 것을 3장의 메이저 카드로 통변할 수 있다. 실제로 사귄지는 얼마 안되었고 주변사람들 몰래 연애를 해야 하는 사정을 가지고 있다고 한다.
또한 8월에 군대를 가기 때문에 두 사람의 애정이 불안할 수 있다고 한다.

[여자]
1. 완즈 9
2. 연인
3. 달

완즈 9는 연인이 있는 상태라면 상대방 주변 상황을 너무 의식하고 집착할 수도 있고 불안한 상태이며 뭔가 눈치를 보아야 하는 2% 부족한 경우이다. 따라서 두 사람 애정의 시작이 불안한 심리상태로 보인다.

연인 카드는 악마 카드와 대조적이지만 두 사람이 사랑의 시작이 순탄하지 않으며 힘들게도 갈 수도 있지만 신의 계시로 운명적인 연인이 되는 운명의 수레바퀴와 같이 긍정적인 측면도 있지만 전후 카드인 완즈 9와 달 카드를 보고 부정적인 측면이 강하게 나타날 수 있다. 부정적인 측면은 양다리. 삼각관계 등의 관계로 복잡해질 수 있다.

달 카드는 대표적 키워드로 근심. 걱정. 불안을 의미한다. 밝고 긍정적인 이미지보다는 어둡고 부정적인 이미지가 강하다. 겉과 속이 다를 때, 구설 시비, 삼각관계. 불륜 등을 의미한다.

실제로 헤어진 전 남친이 군대에 있는데 아직도 연락이 오고 주변 지인들과 직장에서 현재 애인과 전 남친과의 관계가 서로 알고 연결되어 있어 불편해서 지금 몰래 연애하는 상황이라고 한다.

이렇게 연애의 시작이 복잡하고 불안한 상태이며 누구에게도 떳떳하게 연애할 수 없는 상태이고 또한 현재 남친이 군대까지 가니 두 사람의 마음 상태는 불안할 수밖에 없지만 연애를 시작한 지 얼마 안 된 상태에서 육체적 사랑의 감정에 빠져 있다는 것이 **악마. 연인 카드로** 알 수 있다.

따라서 당분간은 주변 지인들에게는 절대로 연애 사실을 숨기고 전 남자친구가 군대 제대를 하는 그 시점에서 제대로 떳떳한 연애를 하는 것이 중요하다고 설명하고 결론적으로 시작과 과정은 힘들 수 있으나 이런 고비를 넘기면 **연인 카드**의 진정한 사랑과 운명의 수레바퀴의 운명적인 사랑의 힘으로 극복할 수 있으며 만약 두 사람 애정의 문제점을 조급하게 서두르고 해결하려고 한다면 오래가지 못한 연인관계로 끝날 수 있다고 마무리 상담을 하였다.

[문 21] 7 카드 실전통변 (연애운)

6개월 전에 내가 고백했다가 거절했던 남자가 다시 연락이 오는데 어떻게 해야 할까요?

과거(정의)의 남자 모습은 답답하고 융통성이 부족하며 옳고 그름을 따지며 답답한 모습이다. 여자를 리더하기는 어렵고 고지식하여 여자가 고백할 정도이면 아마 남자 입장에서는 완벽하게 따지는 스타일이다.

현재(완즈 9)의 모습은 남자일 수도 있고 여자일 수도 있다. 서로 눈치를 보거나 조심스러운 모습이며 주변 상황을 많이 의식하는 모습이다. 실제로 여자는 주변에 이성 친구도 많고 활달한 반면 남자는 착하지만 너무 진지한 연애를 바라는 마음이 강하다고 한다.

남자의 모습(기사 컵)으로 여자에게 프로포즈를 하는 모습처럼 보인다. 그런데 최근에 연락이 왔지만 고백은 하지 않는다고 한다. 남자는 연애를 해 본 적이 없고 나이에 비해 오로지 결혼을 전제로 하는 연애를 바라는데 좋아하는 마음은 있는데 연애 감정이 확실하지 않아 여자를 피곤하게 하는 남자의 성향이 **미래(펜타클 4)를** 보고 알 수 있다.

펜타클 4는 자기 틀에서 상대를 바라보는 모습이고 쉽게 상대방을 위해서 애정 변신을 하기 어렵다. 아마 남자 입장에서는 여자 주변에 이성친구에 대한 이해심이 부족하여 애정에 대한 확신이 부족하다는 것을 알 수 있다.

그렇지만 여자 쪽에서 자신을 좋아하는 것을 알고 본인도 싫지는 않지만 남자가 원하는 대로 여자 쪽에서 확신 있는 애정 표현을 해주기를 바라는 심리가 있다. 그런 상태가 여자 쪽에서 헷갈리고 까다로운 남자 스타일에 상처받았던 모습이 **소드 3를** 보고 알 수 있다.

처음에 남자가 좋아한 것 같아 고백을 안 하니 여자가 먼저 고백했는데 차이게 되어 마음고생을 많이 했다고 한다. **소드 3를 보고** 아마 이번이 세 번째로 이 남자와의 애정 감정이 있지 않느냐고 물어보니 맞다고 한다. 이번이 마지막 감정이니 고민은 더 이상 안 한다.

결과(황제)의 키워드는 결혼, 남자가 책임감 있게 리더하는 의미가 있는데 전후 관계로 보아 이런 황제의 모습이 부족하거나 너무 넘치다는 것을 알 수 있고 (**황제의 부정적 측면으로 통변해야 함:** 남자는 착하다고 하지만 자기 고집(의심)이 강함) 두 사람이 결혼을 전제로 만나는 진지한 상황 여건이었다면 가능하지만 그렇지 못하기 때문에 이별할 것으로 리딩한다.

문제점. 조언(펜타클 여왕)은 여자가 현모양처처럼 남자를 포용하거나 기다려 주는 마음이 필요하거나 아니면 현실적인 여자이기 때문에 능력 없고 확실한 남자 아니면 연애만 하고 결혼은 하지 않는 관대하지 못한 여자일 수도 있다.

따라서 남자는 친구처럼 편안하게 만나고 싶은 관계로는 좋지만 이성으로서는 여자를 감당하기에는 부담스럽고 벅차다는 것을 알 수 있다. 결국 여자쪽에서 친구 관계가 유지가 안되면 완전히 관계를 끊어야 결론이 난다고 통변한다.

[Tip] 타로점단이 나쁜 결과가 나왔다면?

타로카드를 통하여 점을 쳤다. 그런데 원하는 결과가 아니어서 갈등이 생긴다. 이제 내가 해야 할 일은 과연 무엇인가? 그렇다면 먼저 **자신의 내부적인 심리 상태를 관찰할 필요가 있다.** 왜 그러한 결과에 대해 고민하는지? 당신이 타로카드가 제시하는 내용과 방법을 따르기 어려운 이유가 무엇인지? 더 나은 성장을 위해서는, 인생의 다양하고 광범위한 경험을 선입견 없이 받아들이고 적절하게 대처할 수 있어야 하는 법이다. 타로카드의 장점은 원하지 않은 답이 나왔을 경우 좀더 나은 상황으로 가기 위해 어떻게 해야 하는지를 다시 물을 수 있다는 점이다. 여러 가지 카드 배열법을 사용하여 다각적으로 연구해야 한다.

[문 22] 장사가 잘될 수 있을까요?

과거 카드는 마법사이다. 거의 완성이고 충분히 승산이 있다고 생각하였다.
현재는 컵 2. 힘 카드이다. 사업을 시작하여 어느 정도 만족하지만 조금 더 노력해야 한다.
미래 카드는 검 기사이다. 불안정하고 변화 변동이 급하게 움직이면 안된다. **검 기사는** 돈을 번다고 볼 수 없다.
문제점은 완즈 7 카드이다. 너무 무리하면 안되고 주변 환경이 힘들 수 있다. 의지력이 상실되어 용두사미가 될 수 있다.
결과 카드는 심판이다. 현재 장사가 잘 되는 것은 아니고 지금 시작하는 시기이고 잘되는 것은 본인이 노력을 하며 앞으로 좋아진다.
조언 카드는 황제이다. 리더십, 책임감, 강인한 의지력이 필요하다. 도와주는 귀인, 남편, 부모, 어른 등을 통해서 해결해야 한다.
*** 메이저 카드 4장:** 큰 의미 있는 사업이다.

[문 23] 사주공부 확실히 하여 활용할 수 있을까?

과거 카드는 교황이다. 좋은 기운을 가지고 있고 안정된 공부를 해왔다.

현재 카드는 마법사. 컵 6이다. 전에 사주 공부했던 것을 다시 시작할 수 있으며 사주 상담가로서 충분한 능력을 가지고 있지만 크게 이루는 것은 약하다.

미래 카드는 검 3이다. 뜻하는 대로 잘 안되고 방해를 받지만 결과 카드가 좋으면 이 고통을 새로운 시작으로 전환하면 좋게 해석한다.

결과 카드는 펜타클 10이다. 대박이 날 수 있고 가족의 도움이 있으면 좋다. **문제점으로는 검 에이스 카드이다.** 말조심해야 하고 노련미가 부족하여 경솔해서는 안 되고 시작이 순탄하지 않을 수 있다.

조언 카드로는 완즈 4이다. 스승이나 도반. 가족의 도움이 필요하며 노동 후의 휴식이라 힘든 후에 좋아신다. 동업자나 장소. 귀인. 열정적인 자세가 필요하다.

[문 24] 대학 졸업 후 유학을 가면 좋을까 아니면 취업을 나가면 좋을까?

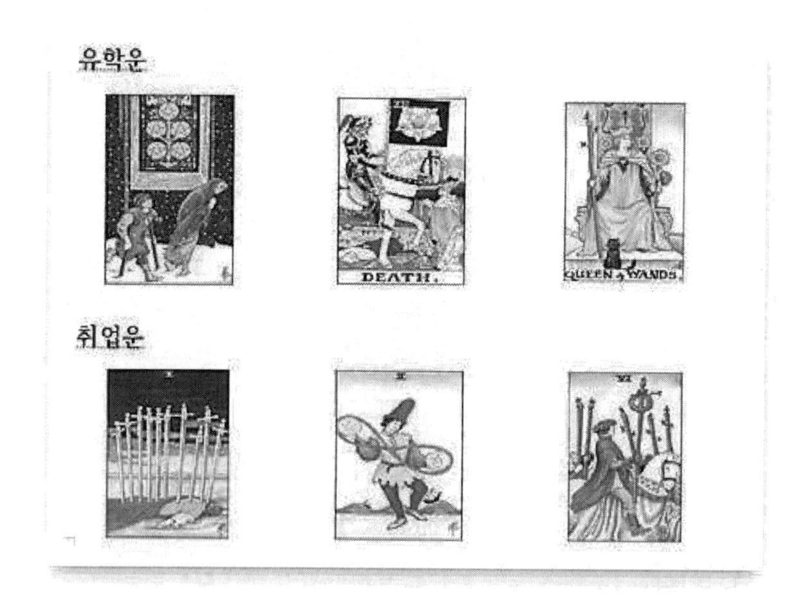

[유학운]

펜타클 5는 정신적으로나 물질적으로 궁핍하다는 의미라 유학비용을 감당하기가 어렵다고 볼 수 있다. 본인이 유학에 대한 강한 목표와 의지가 있어야 하는데 스스로 노력을 하지 않고 포기 할 수 있다고 통변할 수 있다. 따라서 현재 유학에 대한 준비나 목표가 막연하고 부족하다고 볼 수 있다.

죽음은 새로운 시작, 탄생, 출발을 의미하며 모든 것을 버리면 새로운 시작이 빠르기 때문에 유학에 대한 불안한 심리를 버리고 새로운 시작을 위해서 기존의 틀을 완전히 버리는 전환점이 있어야 유학 생활이 순탄할 수 있다. 따라서 도전 의식과 초심으로 과감히 새로운 출발을 해야 한다.

여왕 완즈는 완성을 의미하고 능력 있는 관리자로서 여장부 기질을 가지고 사회적 활동을 왕성하게 할 수 있으며 유학을 가서 공부를 마치고 취업을 하는데 당당하게 도전하는 모습이다. 결국은 **죽음 카드가** 핵심 카드이다. 무조건 새로운 시작을 해야 하는데 주변 여건이나 상황, 비용 등을 따지고 자신의 의지가 강렬하지 않으면 결국은 포기하게 된다.

[취업운]

소드 10은 졸업하고 새로운 시작(취업)을 의미하고 자신이 선택한 상황이 아니라 주변 여건에 따라 선택하는 모습이며 부정적으로는 어쩔 수 없이 취업을 하는 만족하지는 못하지만, 현실적으로 따라가는 모습이다.

펜타클 2는 긍정적인 모습보다는 부정적인 측면이 강하다. 금전 부분이나 근무조건 등에 만족하지 못하며 약간의 당황과 고민으로 직장생활에 만족할 수 없다. 항상 마음속에는 두 가지의 고민이 있는데 아마 유학에 대한 미련 때문일 수도 있다. 따라서 직장생활이 불안정하다.

완즈 6는 승리를 해서 당당한 모습이지만 여기에서는 부정적인 측면으로 본다면 직장을 버리고 새로운 이동 변동을 의미한다. 긍정적으로 본다면 스스로 모든 고민을 떨쳐버리고 새롭게 도전하고 열정을 가지면 주변 경쟁자들 보다는 훨씬 더 좋은 조건으로 능력을 발휘할 수 있다. 이처럼 타로카드 전후의 상황에 따라 통변을 다양하게 해석할 수 있다.

[결론]

유학을 가서 외국에서 취업을 나가거나 아니면 국내에서 취업을 나가든 본인의 목표와 의지와 노력에 따라 어느 쪽이던가에 결과는 긍정적인 부분이 많다. 따라서 졸업 후 유학을 가든 취업을 하든 2~5년 동안은 힘들다고 보아야 할 것이다. 그래도 양자 선택을 한다면 노력 후 결과는 유학 쪽이 더 좋다고 볼 수 있다. 실제로 근무조건이나 급료는 외국이 훨씬 좋다고 한다.

[문 25] 커플 애정운 (궁합)

두 남녀가 사무실에 내방하여 커플애정 궁합을 보기 위해서 각자 3장씩 타로카드를 뽑았다.

[남자]

완즈 기사는 어느 정도 발전 진행 상황이다. 두 남녀가 열정적인 연애를 하지만 남자가 너무 급하여 여자보다 너무 앞서가는 행동과 표현이 강하다고 할 수 있다. 또한 두 사람이 직장에서 만난 사이도 되지만 조만간에 두 사람 사이에 변동이나 이동이 올 수 있다고 통변할 수 있다.

탑 카드는 애정운에서 너무 힘들 때 잘 나오는 카드이다. 한마디로 멘탈 붕괴를 뜻하는 정신적으로 혼란한 상태이고 끝까지 가야만 새 출발을 하게 된다. 만난 지 얼마 안된 사이라면 여성의 정조가 깨지거나 갑작스런 이별,

안심하고 있을 때 뒤통수 맞는다. 남자의 과거 애정에서 트라우마가 있을 때 잘 나타난다.

실제 과거 여자가 바람이 나서 이별하고 배신하여 상처를 많이 가지고 있다고 한다. 따라서 여자에게 진심으로 잘해주지만 여자쪽에서는 권태기가 빨리 오거나 매력이 떨어진 경우가 많다. 그래서 과거의 여자를 대하는 자세가 파격적인 변신을 하지 않으면 또 반복되는 슬픈 연애를 하게 된다. 그만큼 애정운에서 **탑 카드가** 비중이 제일 높다.

정의 카드는 하지 말라는 행동은 안 하고 선이 넘는 행동을 안한다. 결혼하기 전까지는 여자가 원하지 않으면 여자를 절대 손을 대지 않는다. 사랑받는 자식이 되어도 사랑받는 남편은 어렵다. 그만큼 연애를 답답하게 할 수 있고 융통성이 없고 여자의 감성을 캐치하기에는 부족하다.

이런 남자는 연애를 완벽하게 머리로 하고 고지식하기 때문에 여자 입장에서는 설레는 남자보다는 부모 같은 남자 느낌을 받을 수 있다. 실제로 남자가 7살 연상이며 직장인이고 여자는 아직 학생 신분으로 알바를 하다가 한 직장에서 만나 사귄 지 100일 정도 되었다고 한다.

결론적으로는 시작은 좋으나 결과가 너무 힘들다고 보여지는데 아직 두 사람은 싸워 본 적도 없고 너무 사이가 좋아 실감을 나지 않을 수 있으나 지금까지 타로 애정상담에 탑 카드의 통변은 거의 적중률이 높다.

[여자]

컵 여왕은 사랑받은 여자의 모습이고 모성애도 있고 인기도 있는 여자이지만 뭔가 알 수 없는 비밀이 있고 사랑을 받고 있지만 우울한 모습도 있습니다.

남자를 리더하기보다는 수동적으로 따라가는 스타일이며 남자가 진심으로 잘해주면 자기 스타일이 아니어도 받아주기는 하지만 내면은 만족하지 못한다. 따라서 컵 여왕은 이성적이고 냉철하지 못하여 자기와 어울리지 않는 남자에게 빠질 수 있는 비현실적인 심리가 있다.

소드 왕은 냉정하고 이성적이며 연애운이 약할 때 이 카드가 나온다. 두 사람의 관계를 현실적으로 따져보고 서로 결혼에 대한 가치관이 다를 수 있고 주변 환경은 멀어질 수 있는 상황이 발생이 되거나 지금 남자와 전혀 다른 분위기의 남자가 나타나 갈등을 할 수 있다.

여왕인 이 여자 입장에서 보면 **완즈 기사는** 결혼 상대로는 약하고 **소드 왕이** 다른 남자가 나타나면 배신할 수 있다. 그런 경우가 아니라도 소드는 정신적으로 애정 관계가 힘들다고 할 수 있다.

소드 9는 근심걱정과 고민에서 너무 힘들고 갈등을 할 때 많이 나타난다. **소드 왕을** 더욱 더 강하게 표현하기 때문에 두 사람의 애정운은 앞으로 힘들다고 통변할 수 있다. 따라서 현재 두 사람이 같은 직장에서 벗어나 다른 환경속에서 연애를 할때는 주변상황이나 서로간의 감정의 급격한 변화가 일어나 애정이 힘들어질 수 있다고 보여진다.

결론적으로는 한때 서로 아는 공간에서 쉽게 만나 사귀다가 이별 할 수 있는데 **탑 카드의** 애정은 후유증이 너무 커서 이별을 받아들이기가 너무 힘들고 상처가 크다. **컵 여왕**은 겉과 전혀 다른 속마음의 비밀이 남자를 더욱 슬프게 할 수 있다.

[문 26] 7 카드 실전통변 (재회운)

최근에 동거한 남자와 심하게 다투고 이별을 했는데 앞으로 다시 만날 수 있을까요?

완즈 7는 현재 힘들고 버거운 상태이며 아직은 완전히 남자를 떠나 보내는 상황이 아니다. 그렇지만 과거(**완즈** 10)부터 현재까지 10개월 동안 너무 힘들었다는 것을 알 수 있다. 그리고 두 사람의 마음 상태는 **소드**이기 때문에 정신적인 상처가 너무 크다.

남자 입장에서 보면(**소드** 5) 자존심이 많이 상해있고 배신감. 상처 슬픔 등의 애증의 관계이고 여자 입장에서는(**소드** 10) 오히려 자신이 남자로 인해서 상처를 받았다는 느낌이 강하고 이제는 벗어나고 싶고 한계가 왔다는 것을 알 수 있다. **미래(컵 4)는** 권태기를 의미하고 피곤하고 재미가 없으며 애정운에 있어서는 이별을 의미하고 애정에 관심이 없다는 것을 나타낸다.

결과(펜타클 기사)는 애정에 진척이 없고 답답하며 두 사람은 서로 정체되어 있는 상태이다.

따라서 당분간은 떨어져 있는 상태에서 상대를 쉽게 받아들이지 못하고 남자 쪽에서도 여자를 답답하게 할 수도 있고 짜증 나게 할 수도 있다. 11월까지는 두 사람 애정의 감정이 많이 상해 있고 그 이후 겨울부터는 안정이 되기 때문에 아마도 재결합이나 완전한 이별은 12월에 되어야 결정 날것으로 보인다.

조언(매달린 사람)은 두 사람이 다시 재결합을 원한다면 지금은 희생하고 포용하고 인내하고 잠시 재충전하는 모습이 필요하고 현재 상태로는 힘들고 시간이 흘러야 해결할 수 있는 커플이라고 조언을 해주어야 한다. 실제로 두 사람이 심하게 다투면서 서로 폭행까지 했다는 것은 마이너 카드에 **소드와 완즈를** 보고 유추해 볼 수 있다.

또한 남자의 성향은 원래 착하고 소심하고 답답하다는 것을 **펜타클 기사**를 보고 알 수 있으며 **소드 5를 보고** 지금까지 참다가 엄청 폭발했다는 것을 짐작할 수 있고 여자는 열정과 행동파라는 것을 **완즈를** 보고 알 수 있으나 **소드 10을 보고** 여자도 먼저 나대다가 남자에게 구타를 당했다는 것을 의미한다.

[문 27] 7 카드 실전통변 (결혼운)

몇 년간 사귀고 있는 남자와 앞으로 결혼운에 대해서 궁금하다고 한다.

과거(달)와 현재(컵 8)의 모습은 근심. 걱정. 불안의 상황이 있었다는 것을 알 수 있다. **남자의 모습(완즈 기사)은** 결혼에 대한 열정과 확신이 강하고 빨리 하고 싶은 마음이 강하다. 그러나 **여자의 모습(고위여사제)은** 냉정한 모습을 하고 있고 결단력이 있고 분명히 옳고 그름을 따지는 똑 부러지는 스타일이다.

실제로 남자가 여자가 원하는 부분을 따라주지 않아 힘들었다고 한다. 현재는 결혼할 수 여건이 안 되고 최소 2년 후을 생각하고 있다고 하는데 **미래(소드기사)와 결과(소드왕)을 보면** 결혼을 서두르면 안 되고 충분히 두 사람이 결혼에 확신이나 각오가 있어야 결혼 후 무난하다.

왜냐하면 몇 년간 사귀어 온 두 사람의 애정이 한순간에 포기할 가능성이 있어 보이는 **컵 8. 소드 기사를 보고** 통변 할 수 있다. 또한 결혼을 늦게 해야 하는 **고위 여사제나 소드 왕. 완즈 10을** 보고도 알 수 있다. **결혼에 대한 조언(완즈10)은** 힘들고 신경을 많이 써서 스트레스를 받고 노력을 많이 해야 결혼이 가능하지만 그렇지 않으면 결혼운이 힘들다고 할 수 있다.

따라서 두 사람의 결혼운은 전반적으로 좋다고만 할 수 없으며 현재는 연애 감정에 더 충실해야 하며 시간을 가지고 많은 노력을 해야 한다고 상담해주었다. 만약 두 사람이 30대에 만났다면 결혼운에 대해서는 좀더 긍정적으로 통변할 수 있다.

[문 28] 6 카드 실전통변 (커플애정운)

동거를 한 지가 얼마 안 되었는데 앞으로 애정운은 어떤지요?

(남자)

남자가 뽑은 3장의 타로는 메이저 카드로만 이루어져 두 사람의 애정의 핵심은 남자가 뽑았다. **현재 달 카드의 대표적 키워드로** 근심. 걱정. 불안을 의미한다. 밝고 긍정적인 이미지보다는 어둡고 부정적인 이미지가 강하다. 우유부단하고 여성적인 성향을 지니고 있으며 애매모호하거나 불확실할 때, 겉과 속이 다를 때 , 구설시비, 삼각관계. 배신 등을 뜻한다.

만난 지 얼마 안 되어 동거를 시작했고 현재 크게 싸우지도 않는데 **달. 탑 카드가 나온다는 것은** 이 남자의 잠재의식에 불안한 심리가 강하고 과거 여자에 대한 트라우마가 있다. 또한 **스타, 달, 탑 카드는** 어둠(밤)속에 육체적인 욕망에 사로잡혀 빠져 있는 모습으로 통변을 할 수 있다.

탑 카드는 애정운에서 너무 힘들때 잘 나오는 카드이다. 한마디로 멘탈붕괴를 뜻하는 정신적으로 혼란한 상태이고 끝까지 가야만 새 출발을 하게 된다. 만난 지 얼마 안 된 사이라면 여성의 정조가 깨지거나 갑작스러운 이별, 안심하고 있을 때 뒤통수 맞는다. 그러나 현재 사이는 너무 좋다고 하지만 앞으로 한번 크게 부딪치게 되면 탑 카드의 모습이 나타난다. 폭력적, 욱하는 기질, 인내심 부족, 고통, 이별, 혼란, 사기를 의미하며 부정적 측면이 강하다. 아마 마음속에는 여자에 대한 불만이 쌓여가고 있다가 폭발할 수 있다.

스타 카드는 부정적으로는 잘못된 생각. 어리석음. 바람피운다. 충동적. 만난 지 한두 번 만에 사귄다. 불륜. 양다리 등의 의미를 지니다. 실제로 여자가 노는 것을 좋아하고 이성적 인기가 많다고 한다.

(여자)
컵 10은 가정을 의미하고 결혼하고 싶을 정도로 연애하거나 행복한 가정을 나타내기 때문에 현재 동거를 하는 것이다. **완즈 6는** 남자와 여자(백마)가 육체적 결합을 의미하며 두 사람은 주변에서 보기에는 인기가 있는 사람이다.
컵 4는 권태의 상징이며 피곤하며 재미가 없는 경우이다. 또한 또 다른 이성에게 대쉬를 받았지만 거절할때도 이런 카드가 나온다. 아마 두 사람은 너무 빠른 시간에 동거를 하고 지내다가 서로 책임감에 대한 부담감으로 인하여 권태기가 온다.
따라서 혼자 지내고 싶고 벗어나고 싶기 때문에 두 사람의 애정운은 결과가 안 좋다. 충동적인 동거가 결국 두 사람의 애정을 빨리 식어 버릴 수 있는 동기가 될 수 있다

[문 29] 7 카드 실전통변 (결혼운)

20대 후반 여자인데 현재 헤어진 관계이지만 이 남자와 결혼운이 있는지 궁금하다고 한다.

과거 펜타클 8의 연애운은 사귀고 있었지만 뭔가 부족하여 인내를 가지고 꾸준히 진행되어 왔지만 두 사람의 애정이 강하지 않다는 것을 알 수 있다. 실제로 제대로 사귀지도 못하고 만남과 이별을 반복했다고 한다. **현재 펜타클 5은** 가치관이 서로 달라 힘들게 연애를 하며 남자를 여자에게 집착하는 것이 아니라 이런 경우는 여자가 남자에게 집착하는 경우이다. 왜냐하면 여자의 모습(세계)이 사랑의 완성으로 결혼을 의미하기 때문에 남자를 더 사랑한다고 볼 수 있다. 그렇지만 **남자의 모습(마법사)은** 인기가 있고 능력 있는 남자라는 것을 알 수 있다.

실제로 능력 있는 직업에 주변에 여자들에게 인기가 많고 결혼에 대해서는 별로 생각하지 않는다고 한다. 그러니 현재의 모습 속에서 두 사람의 연애나 결혼에 대한 가치관이 다르고 여자 쪽에서도 이성에게 인기가 있고 **세계카드가** 나오면 기존의 상태를 마무리하고 새로운 상태로 가는 시작이고 완성을 의미한다.

따라서 연인관계가 결혼으로 가야 하는 새로운 시작인데 그렇지 못하고 계속 갈등의 연속이라면 이별해야 새로운 출발(시작)을 할 수 있는데 현재는 여자가 남자에게 매달리는 답답한 모습이다.

미래의 완즈 8은 긍정적으로 보면 두 사람의 관계가 빠르게 진행되어 결과 펜타클 왕은 결혼이 성사가 될 수 있다는 통변을 할 수 있다. 하지만 부정적으로 보면 빨리 이 남자와 정리하면 결혼할 남자가 생길 수 있다고도 통변 할 수 있다. 하지만 남자 쪽에서 적극적으로 결혼을 서두르면 빠르게 진행될 수 있다.

조언카드 소년 펜타클은 새롭게 시작하거나 작은 만족. 꾸준한 준비를 의미하기 때문에 여자가 남자가 원하고 결혼하고 싶을 정도로의 분위기를 바꾸는 새롭게 변신하는 모습이 필요하다고 조언 해줄 수 있다.

결론적으로 7장의 카드를 보면 두 사람의 관계가 결혼을 전제로 연애를 했다면 결혼할 확률이 강하다고 볼 수 있다. 하지만 남자가 결혼이 아닌 연애로 지속되기를 바란다면 애정에 대한 감성이 부족한 두 사람의 관계는 불안정하여 답답한 상태라고 볼 수 있다.

[문 30] 현재 만나는 남자와 앞으로 애정운은?

메이저 카드가 5장이나 나왔던 것은 두 사람의 현재 애정운에 큰 문제에 있다는 것을 알 수 있다. **과거 힘 카드의 대표적인 키워드는** 인내. 의지력. 희생정신이다. 따라서 처음 만나는 시점부터 두 사람의 관계는 노력해야 할 관계이다.

실제로 여행 중에 우연찮게 남자를 만나 연애가 시작이 되었다고 한다. **현재 완즈 7는** 힘겹고 버거운 상황이고 본인이 스스로 만들고 있는 경우도 있다. 너무 무리하면 안된다. **남자의 속마음은(고위여사제)** 분명하게 따지는 것을 좋아하고 이성적이며 냉정하고 차가운 모습이다.

여자의 속마음은(정의) 자기틀이 분명하고 꼼꼼하여 확실한 것을 좋아한다. 부정적으로 보면 이별을 의미하므로 두 사람의 속마음은 금방이라도 깨질 분위기이다. **미래(연인)은** 현재는 순탄치 않지만 두 사람의 애정의 연결고리가 남아 있어 다시 살아날 수 있다고 보이지만 부정적으로는 또 다른 이성이 들어와 삼각관계. 양다리 등으로도 설명할 수 있다.

결과(전차)는 적극적 표현을 하는 키워드가 있고 바람을 피어 빠르게 이별할 수 있다고 통변할 수 있다. 따라서 현재와 미래의 통변을 긍정적으로 통변을 해야 하나 아니면 부정적으로 통변해야 할지 난감할 수 있다.

그러나 **조언(소드3)을** 보고 부정적으로 해석하는 쪽으로 통변한다. 지혜롭게 처신해야 하고 그렇지 않으면 크게 고통이 온다. 감정의 격렬함을 통한 갈등과 이탈을 나타낸다. 부정한 사랑에 대한 눈물을 나타내기도 한다. 삼각관계. 상처가 심할 수 있기 따라서 빠른 시간 안에 이별을 하는 것이 현명하다고 볼 수 있다.

실제로 두 사람의 관계가 힘들어 남자쪽에서 이별선언을 할 것 같은 느낌을 받고 있다고 한다.

[문 31] 현재 살고 있는 집을 팔고 새로 매입하여 이사하면 어떠한가요?

(매매운)

현재 살고 있는 집을 정리하기가 망설여지는 모습을 **컵 5를** 보고 알 수 있다. 실제로 자식들 학교 문제로 이사를 가야 하는 마음이 있지만 쉽게 결정을 못하는 상태라는 것을 짐작할 수 있다. 사는 집이 조건이 좋아 집을 내놓으면 금방이라도 나갈 수 있는 분위기라고 한다.

절제 카드는 망설임에 있지만 희망적이고 밝은 미래를 의미하기 때문에 매매운이 좋은 긍정적인 카드이다. **완즈 기사는** 이동, 변동(직장, 집), 이사운을 나타낸다. 따라서 집을 내놓으면 매매는 빠르게 진행될 수 있다.

(매입운)

소드 10은 다른 사람으로 인해서 내가 피해를 입는다. 스스로 등에 칼을 꽂을 수 없고 힘든 상황이다. 결과는 힘들 수 있기 때문에 매입에 욕심을 내면 안 된다. 현재 살고 있는 집을 팔아서 새로 매입을 하려고 하는데 주위 상황을 잘 살피거나 사람 조심해야 한다.

탑은 내가 원하지 않는 것을 타인이나 외부적인 요인에 의해서 내가 피해를 본다. 따라서 자식들 학교 문제로만 이사가 아니라 아마 매입에 투자심리가 강하다는 것을 알 수 있다. 매입에 서두르면 손해가 발생할 수 있고 일단 전세(월세)로 이사하는 것이 좋다.

완즈 8은 이사, 들뜬 감정, 빨리 결정하는 키워드가 있지만 전후 카드로 보고 부정적으로 통변해야 한다. 이사운은 안 좋고 빨리 결정하면 큰 손실을 가져 올 수 있다고 통변한다.

[문 32] 최근에 이별한 남자친구가 있는데 다시 재결합 할 수 있을까요? (재회운)

사귄 지 2개월 만에 이별했다는 것을 **과거 소드 6를 보고** 알 수 있다. **현재 여황의 모습은** 부정적으로 통변해야 한다. 여성스럽고 예쁘지만 까칠하고 천방지축같은 성향을 가지고 있다. 공주병이 심하고 여성적이며 감성적이고 애교가 많으며 남자들에게 인기가 많아 끊임없이 구애를 받는다.

집착이 강하고 질투도 강하며 사랑받지 못하는 여자의 모습이다. 따라서 남자가 이별통보를 했다는 것도 유추해 볼 수 있다. **남자가 여자를 바라보는 모습은 정의 카드로서** 너무 완벽하고 모범적인 사람이지만 융통성이 없고 피곤하며 고리타분하다. 연애보다 결혼하는 스타일인데 남자는 진지하게 결혼을 전제로 사귀고 싶어 했지만 여자의 반응은 연애 쪽으로만 강하여 한

순간에 감정이 폭발하는 것이 아니고 나름 신중히 준비되어 이별통보 하였다고 본다.

여자가 남자를 바라보는 모습은 완즈 8은 빠르게 신속히 이별통보를 받아 황당한 느낌을 받아 왜 헤어졌는지도 모르겠다고 한다. 갑작스런 이별로 실감이 나지 않는다고 한다.

미래인 컵 6은 헤어진 사람을 다시 만나는 재결합을 원하지만 결국 이별을 또 하게 된다. (**컵** 8)

조언 카드인 펜타클 기사는 이 남자와 다시 재결합을 원하면 시간이 오래 걸릴 수 있으니 조급하지 않아야 하며 인내심을 갖고 신뢰성을 쌓아야 하며 성실한 자세가 필요하고 조언했다.

[문 33] 백화점 내 가구점에 취업할 수 있을까?

모든 타로점에는 질문이 중요하다. 질문이 애매모호하면 정확한 점사가 나오지 않는 경우가 많다. 상담 내담자가 막연히 여기서 근무하면 나에게 좋을까? 취업할 수 있을까? 등을 포괄적으로 질문하기 때문에 타로술사는 명확히 질문요지를 잘 파악하여 분석해야 한다.

3 카드 배열법을 보면 언뜻 보기에는 취업할 수 있다고 보여지며 처음에는 상당히 스트레스를 받지만 나중에는 안정이 되고 어느 정도 자리를 잡을 수 있는 위치에도 올라갈 수 있는 리딩이다. 하지만 면접을 잘 보았지만 (채용할것처럼) 다음날 떨어졌다고 연락이 왔다고 한다. 아마 직원 1명 채용에 여러 사람이 면접을 보았는데 누군가에 밀린 것 같다고 한다.

이런 경우는 상담 내담자의 질문이 꼭 이곳을 취업할 수 있을까 하는 마음가짐보다는 막연히 나에게 이곳이 좋을까 하는 심리가 강하다. 질문이 명확하면 점사도 명확하게 나온다. 따라서 이런 경우는 내가 취업을 한다면 여기서 잘 할 수 있을까 하는 질문에 대한 결과로 보아야 정확하다.

왜냐하면 취업 후 영업에 대한 기본지식을 공부를 해야 되고(**소드 에이스**) 2년 후 정규직으로 전환이 된다고 하니 시간이 지나면 나에게 안정이 되는 직장이다. (**펜타클 왕**) 또 다른 질문이 취업할 수 있을까요? 라면 여러 명을 채용하는 경우는 합격할 수 있고 1명을 채용하는 경우라면 이력(경력)이나 인맥에 밀려 떨어질 수 있다.

그래도 확실하게 리딩이 안되면 1장을 더 뽑아 추가적으로 설명해야 한다. 결론적으로 3 카드배열 통변시 상담자가 질문을 했을 때 타로술사는 질문 요지를 잘 파악하여 상담자에게 피드백 해주고 타로카드를 뽑게 하는 것이 중요하다.

[문 34] 7 카드 실전통변 (애정운)

과거 완즈 3를 보면 연애 3개월 후부터 두 사람 사이가 갈등이 생겼다고 볼 수 있다. 그렇지만 **현재 완즈 2를 보**면 아직 애정이 서로 남아 있어 쉽게 헤어지지 못한 모습이다.

여자가 남자를 바라보는 모습은 절제 카드로 남자를 사랑하는 마음이 강하고 쉽게 이별할 수 없으며 만약 이별하면 다시 재결합할 마음이 강하니 결정을 못한다.

남자가 여자를 바라보는 모습은 펜타클 2로 애정이 불안한 상태로 이러지도 저러지도 못한 상태이다. 실제로 두 사람이 많이 부딪치고 있고 지쳐 있지만 쉽게 이별하기에도 힘들다고 한다.
완즈의 속성을 보면 두 사람이 육체적인 관계를 알 수 있다. 그래도 속궁합은 좋다고 하니 서로 만족을 한다고 말한다.

미래의 모습은 소드 4로 정지. 휴식, 전환시점으로 재충전을 해야 하는 상황이다. 따라서 일단 두 사람은 잠시 생각할 시간을 가져야 한다.

결과카드는 컵 8로 지금까지 관계를 청산하고 새롭게 마음을 비우고 떠나는 모습인데 이별할 확률이 높다고 보여진다.

조언카드로 컵 9는 이 애정을 이별을 원한다면 남자쪽에서 강하고 분명하게 실행해야 하는 자세가 중요하다. 아니면 이 애정을 유지하고 싶으면 소망의 카드로 상대를 만족을 시켜주거나 완성을 시켜야 애정을 유지할 수 있다고 조언할 수 있다.

[문 35] 타로 공부하면 앞으로 잘 써 먹을 수 있을까요?

과거 카드는 소년 컵이다. 타로에 대한 호기심을 갖고 새롭게 시작하는 모습이다. **현재 카드는 검 왕, 매달린 사람이다.** 타로 완성을 하기 위해서 전보다는 훨씬 나아졌지만 시간이 어느 정도 흘러야 되고 인내심을 갖고 노력해야 하는 모습이다.

미래 카드는 펜타클 9이다. 여유가 있고 직업으로서 가능성이 높으며 타로에 대한 자신감이 넘쳐 있다. **결과 카드는 마법사이다.** 거의 타로술사로서 최상의 모습이다. 아마 타로 마스터로서 자질은 뛰어나고 역량을 충분히 발휘할 수 있다.

조언 카드로는 스타이다. 처음에는 힘드나 나중에는 성공할 수 있는 모습이고 맑은 기운을 갖고 상담해야 한다.

문제점으로는 검 10 카드이다. 건강 조심해야 하고 외부적인 요인이나 사람으로 인해서 내가 힘들어질 수 있으며 정신적인 스트레스를 극복해야 한다.

상담 치료와 타로 상담 중 2가지 중 선택하여 카드를 뽑았는데 **상담치료는 힘 카드가** 나왔는데 대기만성이고, **타로 상담은 컵 기사 카드인데** 현재 좋은 소식이고 차근 차근 진행되어 가고 있는 모습이다.

[문 36] 7 카드 실전통변 (애정운)

타로 상담 예약한 미모의 20대 아가씨가 사무실에 내방하였다. 현재 애인이 있는데 애정운을 상담하고 싶다고 하여 7장 카드를 뽑았다.

본인은 마음이 떠 있다. 현재 남자친구와 이별할 마음도 있고 신중치 못하여 서두르는 경향이 있고 실수할 가능성이 많다. 그런데 남자친구는 당신을 사랑하고 있고 자신감과 여유도 있으며 이성들에게도 인기(끼)가 있다고 하니 상담자 왈. 사실은 현재 남자친구와 사이도 너무 좋은데 과거 4년간 사귀었던 남친이 있었는데 최근에 연락이 와서 기다릴테니 자기에게 돌아와 달라고 했다고 한다.

과거 카드인 힘 카드를 보고 전 남친과의 관계를 알 수 있다. 4년간 힘들게 사귀면서 여자가 많이 사랑한 남자라는 것을 한눈에 알 수가 있으며 오래 사귀었다면 쉽게 헤어지지 못하는 사이이다. 또한 **현재 카드인 펜타클 10은** 가족 같고 편안한 분위기인데 거의 친구 같고(실제 동갑) 남편 같은 애인이었다는 것도 유추해 볼 수 있다.

그래서 상담자에게 전 남친을 생각해 보면서 타로 1장을 뽑아보라고 하니 인연이 끝난 모습인 것을 확인한 후 당신은 현재 남친을 배신하고 전 남친과 재결합은 잘못된 선택으로 후회할 수 있고 당분간은 시간을 갖고 두 남자 사이에서 지켜 보아야 한다고 말했다.

조언 카드가 소년 펜타클은 전 남친을 친구처럼 연락을 하지만 현 남친과의 관계를 유지하는게 현명하다. 그렇지 않으면 **미래카드인 컵 4는** 심리적 갈등이 지속이 될 수 있다. 여기까지 상담을 하니 현 남친의 바람끼를 물어본다. **컵 9를 보고** 판단할 수 있는데 얼마든지 끼도 있고 인기가 있는 남자라는 것을 알 수 있다.

결론적으로는 현재 남친과의 연애를 유지하는 것이 현명하며 혹시라도 전 남친과의 관계를 지금 결정하는 것은 시기적으로는 빠르다고 조언할 수 있다. 실제로 상담실에서는 상담자에게 알기 쉽고 현실에 맞는 어법이 중요하다. 원래는 타로 상담은 심리 치유가 목적이지만 현 실정은 어느 누가 상담 치유를 위해서 타로 상담을 하는 경우는 드물고 대부분은 쪽집게 도사를 원한다.

따라서 과거나 현재 상황을 적중시키고 미래를 예측하는 똑 떨어지는 시원한 통변을 상담 고객들은 원한다. 그렇지만 현재 답답한 상황을 받아들이고 앞으로 자신의 내면 모습을 전환하기 위해 타로술사에게 조언을 구하는 것이 현명하고 올바른 상담이다.

그만큼 잠재의식을 활용한 고차원적인 점술이 타로 상담인데 상담자들에게는 아직은 이 정도로 인식하는 자세는 요원하기만 하다. 타로가 국내에 도입된 지 얼마 안 되어 예전에 타로 붐이 일어났지만, 현재는 운명 상담의 새로운 점술 분야 하나로 자리를 잡혀가고 있는 장점도 있다.

[문 37] 7개월 사귄 남자가 결혼하자고 하는데 결혼운 이 있는지요?

소드 기사는 과거 빠르게 두 남녀가 연애가 진행되었다는 것을 의미한다. 또한 소드가 나왔다는 것은 처음에 두 사람이 연애를 시작할 때 어려움을 지니고 있었다는 것을 알 수 있다. 두 사람 중에 연애 직전에 또 다른 이성 때문에 힘들었다는 것을 유추해 볼 수 있는데 **현재 모습은 펜타클 에이스로** 만난지 좀 되었을 때 나오는 카드인데 이런 해석은 지금 두 사람의 관계가 설레임보다는 편안한 관계 유지로 가고 있으며 결혼에 대한 말이 나오는 것은 **남자 쪽에서 여자를 바라보는 모습이 펜타클 여왕으로서** 결혼한 여자를 의미하며 여자는 결혼에 대해 아직은 자신감이 떨어지지만 조건이 좋은 남자의 능력도 놓치고 싶지 않는 모습이다.

여자가 남자를 바라보는 모습은 절제 카드로서 연애에 대한 감정이 아직 중요하며 결혼에 관해서는 아직은 절제하는 모습이고 결혼에 대해 분명한 입장이 아니다. 남자는 현실적인 결혼을 추구하고 여자는 아직은 연애쪽이 강하다고 볼 수 있다.

죽음 카드는 새로운 시작, 탄생, 출발을 의미하기 때문에 당장 결혼쪽으로 전화위복을 삼거나 아니면 여자가 원하는 쪽으로 완전히 마음을 바뀌면 위기를 극복할 수 있다. 그렇지 않다면 새로운 시작을 의미하기 때문에 이별이냐 결혼이냐 양자택일을 해야 한다. 따라서 이 고비를 넘기지 못하면 연애로만 끝나게 된다.

조언 카드로는 펜타클 소년이라 작은 만족. 새로운 시작으로 서로간에 희망적이고 긍정적인 성실한 자세가 중요하다. 이 배열에서 중요하고 핵심적인 부분은 **펜타클이 많고 죽음 카드와 절제 카드이다.** 결혼을 지금 하느냐 아니면 몇년 후 하느냐 이 문제를 분명히 두 사람이 결정을 내리고 합의를 해야 한다. 그렇지 못하면 망설임(절제)과 변심으로 두 사람의 신뢰는 무너질 수 있는 것이다.

[문 38] 내일 피부관리사 필기시험이 있는데 합격할 수 있을까요?

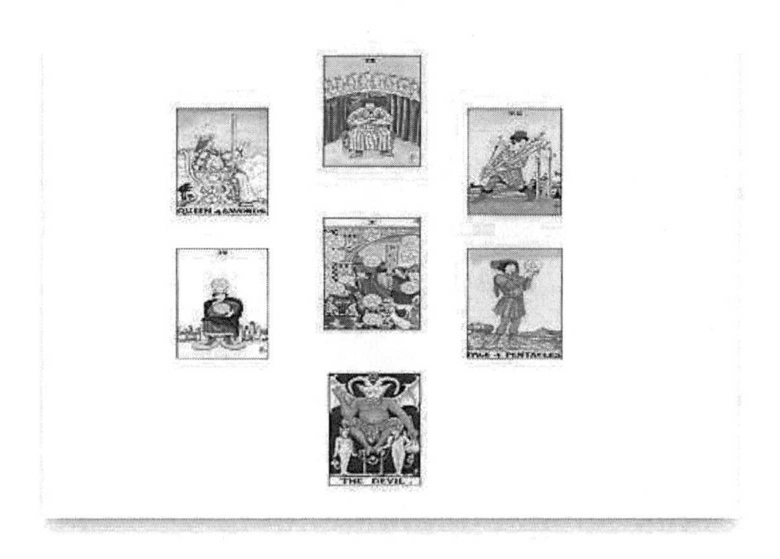

내일 피부관리사 필기시험때문에 스트레스를 받고 있고 심리적 불안감이 강하다는 것을 **악마 카드를** 보고 알 수 있다. 배열법에서 조언(해결방안)카드에 악마가 나왔다는 것은 상담자가 시험에 대한 불안한 징크스가 있다는 것이다.

본인 말에 의하면 전에도 시험운이 없고 찍어도 맞는 경우가 드물다고 한다. **과거에는 컵 9라** 공부시작할때는 피부관리사 시험에 대한 자신감이 강했다고 하니 맞다고 한다. **현재의 모습은 소년 펜타클과 소드 여왕을 보고** 판단한다. 이 카드를 보고 긍정적으로 해석하면 실력이 좋다고 통변할 수 있지만 **문제점으로 소드 7과 조언 카드인 악마 카드를 보고** 약간 부정적인 통변을 해야 현재 상황이 맞는 것이다.

펜타클 소년은 공부하는 학생이나 뭔가를 배우는데 작은 만족을 의미할 수 있고 **소드 여왕은** 짜증나거나 예민해져 있는 상태로 분석할 수 있다. **문제점에 소드 7를 보고** 합격점수가 조금 부족하다고 하니 현재 상담자가 예상문제를 풀어 보았는데 합격 커트라인에서 약간 부족하다고 하여 놀라는 표정이다.

여기서 직감통변이 들어 갈 수 있는데 **소드 7의 모습에서 소드 2개가 부족하다는** 느낌이 온다. 그래서 합격점수에 2점이 부족하거나 점수가 안나오는 과목이 있다는 것을 유추해 낼 수 있는 것이다.

미래와 결과카드가 펜타클4. 10이 나왔다. 긍정적으로는 합격할 수 있다. 이번 시험은 합격인원이 예전보다 많은 나올 수 있다는 것이 **펜타클 10을 보고** 알 수 있고 그 중에서 본인이 필기합격을 잡았다는 것을 **펜타클 4를** 보고 알 수 있다. 그래도 **악마카드가 나와** 심리적 불안으로 실수 할 수 있으니 아는 문제부터 먼저 풀고 서둘지 말라고 당부했는데 그 다음날 필기시험 합격했다고 연락이 왔다.

[문 39] 전화상담 예약한 후 연락두절된 고객심리분석

이른 아침 전에 사주 상담을 받았던 고객이 모친이 사주 상담을 받고 싶다고 전화상담예약 신청을 하였는데 정해진 예약 시간에 연락도 없고 입금도 되지 않고 상담 취소가 되어 모친의 심리상태를 분석해 보고자 자신이 타로 3장의 카드를 뽑아 보았다.

핵심 카드인 죽음 카드가 나왔다. 이 죽음카드로 상담자의 정신상태를 알 수 있다. 죽음은 변화 변덕이 많고 현재 상황을 정리하고 새로운 시작을 해야 할 때 많이 나온다. 갑자기 심적으로 바뀌고 틀어지는 모습이 백마를 타고 있는 얼굴에 해골 모습을 보고 알 수 있다. 이 상담자는 사주상담을 무척 기대를 했다가 뭔가 심사가 틀어진 것이다.

마이너 카드 펜타클이 나왔다. 결국은 상담비용이 문제라는 것을 알 수 있다. 예상했던 금액이 초과하여 고심하고 있는 모습이 **펜타클 6을 통해** 통변할 수 있는데 펜타클 6은 다른 철학관과 상담비용을 비교하면서 저울질하는 모습은 아마 이 상담자는 사주상담 경험이 많다고 유추해 볼 수 있다.

소년 펜타클은 부정적으로는 나쁜 소식. 게으름을 뜻하며 이 상담 고객이 바라는 상담 비용은 정해져 있는 작은 돈이다. 물론 다른 이유때문에 예약이 취소 될 수 있다고도 볼 수 있지만 그렇다면 미리 연락을 하여 양해를 구했을 것이다. 사주나 신점. 타로 상담을 할 때 비용을 먼저 따지거나 다른 곳과 비교를 하는 경우는 서로 교감이 떨어지고 신뢰감이 떨어져 점사가 발동되지 않는다.

만족할 만한 상담 효과를 얻을 수 없고 역술가도 또한 평상시 보다 아는 것도 잘 보이지 않는 상담의 질이 떨어진다. 따라서 상담 내담자는 자기 마음을 비우고 신뢰하는 상담 자세가 결과적으로 상담 효과를 가지고 온다. 예를 들어 소문 듣고 상담 받으러 왔는데 너 한번 맞춰 보라고 마음속으로 강한 기운이 들어가면 어떠한 용하다는 술사도 말문이 막혀 버린 경우가 많다.

[문 40] 연기학원을 운영하는데 이전 하는게 좋은지 여기에 있는 것이 좋은지?

연기학원을 운영하는데 시설이 좋고 조금 확장할 수 있는 똑같은 연기학원 자리가 나와 옮겨볼까 하는데 어떠한지 궁금하다고 한다. 일단 사주를 보고 년운(세운과) 월운을 분석하면 현재 당면문제가 나온다. 그리고 더 구체적인 것은 시간 래정법으로도 파악할 수 있고 더 확실하게 또 다른 각도에서 타로점으로 현재 있는 곳과 이전할 장소를 분석하여 통변할 수 있다.

[현재 장소]

현재 있는곳은 안정이 되어 있다. **(완즈 4)**. 학원을 운영하고 있는 상담자는 연기자를 양성하는 능력이 있다는 것이 **컵 9를** 보고 알 수 있다. **펜타클 10은** 앞으로 크게 운영할 수 있고 가족과의 운영도 포함되어 이 자리가 좋은 자리가 틀림없다. 부자가 될 수 있는 터다. 타로카드 색상만 보더라도 밝고 좋은 터이다. 절대로 옮겨서는 안된다.

[이전할 장소]

소드 기사는 급하게 일을 진행되며 부정적인 의미가 강하며 터 자체가 안정이 안되어 있고 돈을 벌 수 있는 자리가 아니다. **은둔자도** 사업할 수 있는 자리는 아니지만 학원 교육업으로는 나쁘지 않는다.

하지만 **은둔자는** 현재상황은 움직이지 말고 침착하게 기다려야 하는 상황이라는 의미가 있고 **소드 기사와 은둔자는** 서두름과 기다림으로 반대적인 개념으로 답답한 장소이다. **소드 왕은** 법적인 문제로 골치 아플 수 있고 주인이 냉정할 수 있고 사업운이 약한 자리이다.

3장의 타로카드는 차가운 느낌이고 신경을 많이 써야 하는 자리이기 때문에 이전해서는 안된다고 조언했다.

[문 41] 이혼 소송 중인데 빨리 끝날 수 있을까요?

질문 자체가 이혼 소송중이라고 했기 때문에 과거 배열법에 **완즈 여왕을 보고** 여자 쪽에서 적극적으로 이혼을 추진하고 있는 상태이지만 고양이를 보고 불안 초조한 마음을 동시에 가지고 있다. **현재의 모습은 완즈 3을 보고** 통변한다. **완즈 3은** 부부가 살던 집을 떠난 모습이고 **완즈 3은** 결혼한지 3년만에 끝날 수 있어 내년에 완전히 부부관계가 끝날 수 있다고 할 수 있다.

남편의 모습은 소드 8이라 이렇지도 저렇지도 모른 상태에서 답답한 모습이다. 이혼에 대한 강력한 의지가 없고 부인과의 소통도 받아들이지 못하고 있는 모습이다. **여자의 모습은 소드 여왕으로** 단호한 모습이고 아기를 데리고 있는 모습이 보이고 슬프고 결혼 실패한 여인의 모습이다. **여자분은 소드 여왕이나 고위여사제를 보고** 결혼유무를 파악 할 수 있다. 결혼이 늦거나 돌싱

녀나 독신녀를 의미하기 때문에 최하 30대 중반이전에는 결혼하지 않는 것이 좋다. 또한 **고위 여사제는** 부부간의 성향이나 정신적인 코드가 맞지 않으면 결혼생활은 무척 힘들다.

부부가 바라보는 모습이 소드(검)이기 때문에 냉정한 모습이고 지긋지긋한 원수지간으로 돌이킬 수 없고 서로 합의가 안되는 상태이다. **고위 여사제는** 미래의 모습인데 법적인 합의 이혼문서를 의미하지만 **운명의 수레바퀴는** 절반만 성공이라 조그만 노력해야 완성할 수가 있다. 결국은 원하는 양육비나 위자료 문제가 현재는 좀 더 노력해야 하는 시기이고 시간이 걸릴 수 있다는 것이며 또한 깨져도 어린 자식이 있어 완전히 끊을 수도 없다.

해결 방안으로는 펜타클 5가 나왔다. 이 카드는 해결할 수 있는 방법은 있으나 한쪽이 고집이나 욕심 때문에 서로 고생을 한다는 것이다. 펜타클은 돈을 뜻하기 때문에 결국 원하는 이혼 위자료 소송에 시간이 오래 걸릴 수 있다고 보인다. 내년에 합의를 보지 못하면 2~3년까지 시간이 걸릴 수 있다고 마무리 상담을 했다.

[문 42] 대학 4학년 여대생인데 언제 연애를 할 수 있을까요? (연애운)

전반적으로 **메이저 카드는 없고 마이너 카드 중에 완즈가 4장이 나왔고, 소드(검)가 2장이며 펜타클이 1장이 나왔다.** 유일하게 **컵이 없다.** 연애하는 감성이나 소통이 부족하다는 것을 알 수 있다. 4년동안 연애를 해 본적이 없다고 한다. 그렇다고 좋아하는 감정이 생기면 남자에 대한 열정과 행동력을 강하다는 것을 **완즈를 보고** 알 수 있다. 과거에 한 남자를 좋아한 적이 있었고 고백까지 했는데 남자가 거절했다고 하는데 **완즈 9를** 보고 설명 할 수 있다.

완즈 9는 힘들어도 마지막 고비를 넘겨야 하는 2% 부족한 상태를 말한다. 카드를 보고 **완즈 9 그림의 사람은** 내가 될 수도 있고 상대 남자일 수도 있다. 상대 남자라면 자기 가슴속에 있는 원하는 여성 스타일과 비교하는 모습이라 고백한 여자는 뭔가 부족한 느낌이다. 그렇지만 끝까지 포기하지 않았다면 사귈 수도 있는 아쉬움이 남는다. 얼마 후 서로 연락을 끊고 살다가 그 남자는 대학 입학 후 다른 여자와 교제를 했다고 한다.

완즈 8과 완즈 소년을 보고 현재상황과 영향력에 대해서 리딩한다. 완즈 소년은 미숙하지만 새롭게 연애를 시작한다는 의미이고 **완즈 8이** 나와 빠르게 진행될 수 있지만 미래 결과카드가 부정적 측면이 많아 완즈 소년을 부정적으로 해석해야 한다. 상대가 나타나도 결과는 약하다고 통변한다.

미래카드인 소드소년은 연애시작이 순탄치 않다는 것이고 결과 자체도 **소드 9라** 불안한 심정으로 걱정이 많고 원하는 대로 잘 되지 않는다. **문제점으로 완즈 6이 나왔다.** 현재상황에 맞추어 상담내담자의 문제점을 직감으로 바로 파악하는 훈련 연습을 해야 한다. 말 그대로 그 사람의 애정에 관한 정보를 잘 파악하여 핵심을 찍어내는 심리분석력과 키워딩을 구사하여야 한다.

완즈 6을 보고 외모나 성격이나 분위기상 흠이 없는데 왜 연애를 못할까 바로 답이 나온다. **완즈 6는** 인기가 있는 남자이고 여자들이 많이 따른다. 남자의 외모(겉모습)을 많이 따지는데 한마디로 자기보다 잘난 남자의 이상형에게 빠지는 스타일인데 그런 맘에 드는 남자가 나타나면 스스로 고백하는 스타일이다. **(완즈성향)**

본인 말로는 아이돌 남자가수를 너무 좋아 한다고 한다. 이런 경우는 잠재의식이 작용을 하여 현실적으로도 남자보는 눈이 높을 수 있다. 이게 이 여대생의 애정 문제점이 될 수 있다. **조언 카드를 보니 펜타클 4이다.** 이것을 부정적으로 해석해야 할지 긍정적으로 해석해야 할지 난감할 때가 많다. **펜타클 4는** 자기틀에서 벗어나지 못한 욕심이다.

펜타클을 꽉 쥐고 있다는 것은 사랑에 대한 순수한 사랑의 감정이 인색하여 분배하지 못한 자기집착이 있는 성향이다. 본인이 평상시에 원하는 남성에 대한 이미지를 벗어나지 못하는 성향이다. 이것을 인지하고 자신을 더 사랑해줄 수 있는 남자를 받아들이는 자세가 연애를 원활하게 해 줄 수 있다고 조언해 주어야 한다.

하지만 아직까지 실제 현장에서는 상담내담자들은 타로상담을 가볍게 타로 점을 보는 수단으로 인식하기 때문에 나를 위한 심리치유 상담쪽으로 흐르지 못하고 무조건 언제쯤 어떤 남자가 생기는가에 대해서만 궁금하여 쪽집게 상담만 원하는 경우가 많다.

그런 쪽집게 상담은 질문에 따라 적절한 답을 만들어 분석하여 상담을 하거나 상담방식이 툭툭 던져 맞추는 신점 보는 무속인들처럼 맞으면 용한 점쟁이 소리를 듣고 안맞아도 결국 남들이 흉내내지 못하는 족집게 상담 스타일이 소문이 나게 하는 홍보전략이 될 수 있다.

사주 상담도 마찬가지이다. 수십년 역학공부를 많이 했다고 상담을 잘하거나 손님들에게 인정을 받는 것은 아니다. 이러한 현실적 상황에서 어차피 이 직업으로 생계를 유지하기 위해서는 자신만의 상담 잘하는 방법을 연구해야 한다.

단순히 운이 안좋아 손님이 없다 라고만 인식하면 안 되고 아마 실력은 있는데도 손님이 없는 경우는 상담방식에 문제가 있는 경우가 많기 때문에 상담을 잘하는 실력을 키워야 한다.

앞으로는 사주나 타로 및 기타 점술학 강사는 실전에서 필요한 상담방식의 노하우를 연구해서 바로 현장에서 효과를 볼 수 있도록 수강생들에게 가르쳐야 한다.

[문 43] 현재 남친이 있는데 앞으로 두 사람의 애정운은?

마이너 카드에서 5번은 부정적인 의미가 많다. **완즈 5은** 인생과 사랑에 있어서의 갈등이 묘사되고 있다. 싸워도 헤어지지는 않지만 현실적 문제들과 싸워야 할 시기이다. 두 사람이 공무원시험 준비때 만나서 현재 여자는 공무원이 되었지만 남자는 아직 공무원을 합격하지 못했다고 한다.

펜타클 9는 여자는 남자를 리더하고 있고 거기에 남자는 여자를 맞추어 주고 따라가는 스타일이다. 나는 남자에게 상처를 주어도 상처를 받으면 안된다는 독선적인 성향이 있다. **남자가 여자를 바라보는 모습으로 완즈 여왕이 나왔다.**

완즈 여왕은 남자의 모습이 아니라 여자의 모습인데 이런 경우도 해석을 잘 해야 한다. 때로는 나의 모습이 나오기도 하고 상대방의 모습이 나오기도 한다. 그런 상황을 전후관계를 잘 살펴 분석해야 한다.

남자의 모습은 펜타클 소년으로 나왔다. 착한 남자이고 성실하며 아직 취업을 위해 공부를 하는 상태이다. **완즈 여왕과 펜타클 9은** 여자의 모습인데 능력있 는 여장부 기질에 욕심이 많다. 이런 여자 스타일을 남자는 잘 알고 있다. **완즈 여왕과 펜타클 소년은** 왠지 모자지간 같은 느낌이 난다. 본인 말로는 남친이 자기 말을 정말 잘 듣고 잘 따라준다고 한다.

여자가 바라는 남자의 모습은 컵 10이 나왔다. 행복한 가정을 의미하는데 두 사람 결혼 할 마음이 있냐고 물어보니 전혀 그렇지 않다고 의아해 한다. 현재 두 사람의 관계는 좋지만 남자가 결혼할 여건도 능력이 안되어 결혼은 힘들다고 하니 그럼 남친이 공무원 합격하면 결혼 하겠냐고 하니 돈이 없다고 한다. 그렇다면 **컵 10을** 부정적인 측면으로 해석해야 올바른 통변이다.

이게 역방향으로 나오지 않고 정방향으로 나오면 정,역방향을 따지는 타로술사들은 오리무중에 빠진다. 분명 이 여자는 남친을 사랑하는 감성은 크지만 (나중에 이별하면 후회 할 수 있음) 현실적인 결혼은 충족이 되지 않아 마법사 같은 능력있는 남자를 원원다. **마법사는** 봉이 1개라 미완성이고 20% 부족하다. 결과적으로 애정적으로는 충족되지만 결혼까지는 부족하다는 느낌이다.

전체적으로 보아서는 애정운이 좋은데 상담하는 여자의 모습은 뭔가 만족하지 못하는 얼굴이 비친다. 아마 마법사가 현재 애인이 아닌 다른 남자 일수도 있다. 그렇지만 현재 남친과 좋은 인연이라고 강조하니 머뭇거리고 만다.

그래서 혹시 현 남친이 아닌 다른 좋은 인연이 올까요? 하면서 원 카드를 뽑게 했다. 역시 불길한 카드가 나온다.

현재 남친이 능력이 부족해도 이 남친 만나 당신이 더 능력을 갖추고 잘 나갈 수 있는 행운이 온다면 어떻게 생각하느냐고 물어보니 말을 못한다. 처음 보는 고객에게는 굳이 이렇게까지 깊게 상담할 필요는 없다.

조언(해결방안)카드에 교황 카드이다. 교황은 사랑과 자비. 중용이고 어느 한편으로 치우치지 않는 사랑이 필요하고 정신적인 사랑이고 신뢰이다. 이 신뢰하는 마음이 두 사람의 인연을 지켜 줄 수 있다.

결론적으로 선택은 여자 쪽에서 결정할 것이지만 혹시 이별을 한다면 훗날 남자보다는 여자 쪽에서 상심을 클 수 있다고 상담을 마무리했다.

[문 44] 현재 좋아하는 남자가 있는데 사귈 수 있을까요?

현재 여자가 남자를 더 좋아하여 빠져 있다고 한다. 분위기는 연인같은 느낌이지만 남자 쪽에서 아직 고백을 안 하고 있는데 현재 남자가 해외여행중인데 돌아오면 진심으로 고백할까 궁금하다고 한다.

연인 카드는 태양이 반만 나와 있어 절반이 사랑이 완성된 것이다. 두 사람이 사랑의 시작이 순탄하지 않으며 힘들게도 갈 수도 있다. **펜타클 9는** 현재 여자의 모습으로 안하무인 성격을 가질 수 있으며 연애는 본인을 맞추어 줄 수 있는 남자를 만나야 한다. 콧대가 높거나 까칠하고 독선적이며 이 여자는 인기가 많다, 상처받기 싫어하고 집착도 강한 이런 스타일인데 지금 이 남자에게 정신줄을 잃고 빠져 있어 원래 이런 여자가 아닌데 이 남자에게는 이상하게 작고 초라한 자신이 보인다고 하니 맞다고 한다.

소드 8를 보고 남자는 이 여자가 자기에게 빠져 있다는 것을 알 수 있다. **완즈 3을 보면** 여자가 느끼는 남자의 모습이다. 자기를 싫어하고 있는 것 같고 끼가 있으면 자신감과 열정이 있고 지금 바다 건너 해외에 있다고 보여지는 카드이다.

운명의 수레바퀴는 끊어지지 않는 인연도 되지만 집착이나 깨져도 봐야 하는 사이이거나 과거 자신의 트라우마에 벗어나지 못하는 경우가 많아 항상 반복적이고 비슷한 유형의 애정관계에 빠질때 잘 나온다. 그것은 여자가 음주를 하면 연락이 안될 정도로 술을 좋아하니 남자쪽에서 이런 행동에 실망했다고 한다.

자기도 주변 남자가 많고 남자도 주변 여자가 많다고 한다. **결과 카드는 컵 소년인데** 연애를 시작할 수 있는 남자의 프로포즈를 의미하는 긍정적인 측면보다는 완즈 3를 보고 부정적인 측면이 강하다.

조언 카드로는 펜타클 6으로 연민의 정으로 서로 배려 해주는 사이다. 친구 같은 애인이고 뜨거운 사이가 아니다. 한쪽한테는 사랑을 주는데 한쪽한테는 안준다는 의미도 있는데 결국 여자 쪽이 매달려 질질 끌려 다닐 수 있기 때문에 주고 받는 사랑이 아닌 일방적으로 남자에게 맞추어 주어야 하는 희생이 필요하다고 조언을 해주고 상담을 마무리했다.

[문 45] 현재 남친이 연락을 차단하여 사이가 안 좋다고 한다. 왜 이렇게 힘든가요?

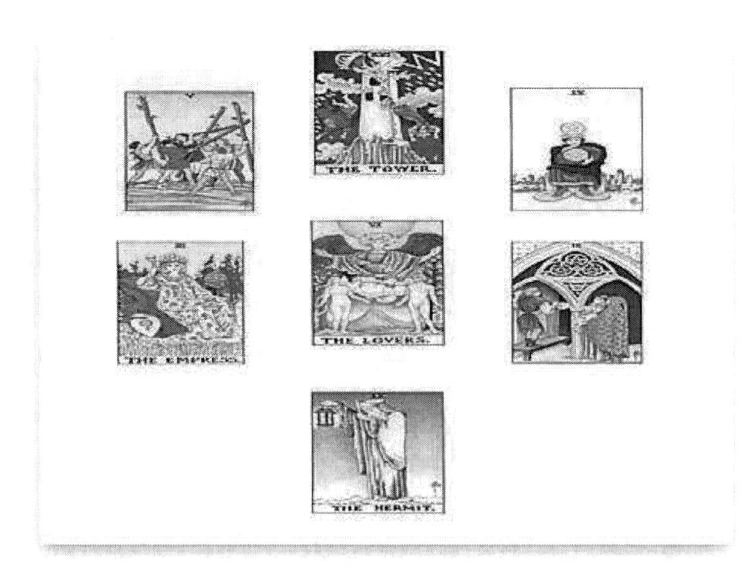

7장의 카드 중에 메이저 카드가 4장이나 나왔다. 이런 애정 상담은 의미가 크고 복잡하다. **과거에 탑 카드가** 나왔다는 것을 벌서 두 남녀는 너무나 힘들게 연애를 해왔다는 것을 알 수 있다. 탑 카드 자체가 자신의 엄청난 파격적인 변화 없이는 힘든 사랑을 하게 되며 그 트라우마 때문에 너무나 힘든 사랑을 한다. 한 남자로 인한 큰 사랑의 후유증이 이 탑 카드에서 잘 나온다.

현재의 모습은 펜타클 3이다. 이 카드의 부정적인 의미는 설레임이 지난 상태이고 서로 신뢰성이 깨져 권태기에 있으며 이별할 때 나온다. 지난 3년동안 사귀면서 서로 깨지고 만나고 수 없이 반복하면서 다른 이성을 서로 만나도 결국 다시 만나면 또 부딪치고 너무 힘들다고 한다.

여자 집안에서도 반대가 심해 모르게 사귀고 있는데 스스로 냉정하게 정리를 못하고 다른 남자를 통한 이별만 기대를 하고 있어 이런 경우는 여자쪽이 남자에 대한 집착이 심하다고 볼 수 있다. 그것은 **펜타클 4를** 보고 알 수 있는데 자기 틀을 쉽게 바꿔지 못한다. **현재 남자 상태도 완즈 5를 보면** 혼란과 갈등으로 힘들어 하고 있다.

여황은 부정적으로는 집착이 강하고 질투도 강하며 또한 사랑받지 못하는 여자이다. 남자 입장에서 보면 매를 버는 여자일 수도 있다. 이런 여자는 다른 남자를 쉽게 만날 수 있고 인기도 있지만 이 남자를 벗어나지를 못한다.

연인 카드는 두 사람이 사랑의 시작이 순탄하지 않으며 힘들게도 갈 수도 있어도 쉽게 끊어지지 않는 운명의 계시가 있는 카드이다. 남자가 전형적인 나쁜 남자 스타일이라고 한다.

이런 남자에게 빠져 자신도 길들어져 왔고 더 독해지는 모습이 **여황이나 완즈 5를 보고** 유추해 볼 수 있다. **은둔자는 조언 카드로**서 현재 움직이지 말고 시간을 충분히 가지고 기다려야 하는 모습이다. 그냥 물 흐르듯이 마음을 비우고 남자 자체에 대한 애착을 비워야 하는데 자신은 꼭 이 남자 아니더라도 혼자 독신으로 사는 것보다는 다른 남자라도 꼭 결혼은 하고 싶다고 한다. 아마 남자 없이는 살 수 없는 멘탈 붕괴가 **탑 카드**이다.

[문 46] 한달째 썸타는 남자가 있는데 사귈 수 있을까요?

현재 상황에 펜타클 10을 보고 직감적으로 당신은 썸 타는 남자를 원래 잘 아는 사이고 주변 지인들과도 잘 안다고 설명한다. 왜냐하면 **펜타클 10은** 가족 같고 친구처럼 같이 어울러 노는 분위기 때문이다. **과거 상황은 소드 9가 나왔다.** 그런데 왜 고민하고 괴로워 하고 있을까요? **미래 상황은 달카드가 나왔다.**

전후관계를 맞추어 보면 이 썸타는 남자를 좋아하거나 사귄다는 것이 주변 사람들에게는 문제가 된다는 것을 유추해 볼 수 있다. 썸타는 남자는 자신의 전 남친의 친구가 되고 이 썸타는 남자의 전 여친은 자기 친구가 된다는 것이다. 그러기 때문에 두 사람이 사귀게 된다면 대단한 구설이 따를 수 있어 불안하다고 하면 도대체 이 남자가 적극적으로 자기에게 대쉬를 하지 못하고 있다고 한다.

그 남자가 여자를 바라보는 모습은 컵 9가 나왔다. 남자가 먼저 좋아하는 표현을 했고 최근에 또 다른 여자와 잠깐 만났는데 정말 끝났냐고 물어본다. **컵 9은** 끼가 있고 인기도 있다. **여자가 이 남자를 바라보는 모습은 펜타클 기사가 나왔다.**

여자 입장에서는 답답한 남자의 말과 행동 때문에 불안하다고 한다. 또한 남자에 대한 확신이 떨어지기 때문에 남자가 여자를 위해서 과감하게 적극적으로 나가지 않으면 힘들 수 있다. **해결 방안으로 소드 10이 나왔다.** 10일 안으로 남자쪽에서 주변지인들에게 제대로 알려 프로포즈를 해야 한다고 조언했다.

미래 상황에 달 카드가 나왔다. 마음고생을 많이 할 수 있는 모습이다. 배신. 삼각관계 여러가지 부정적인 측면이 많다. **결과 카드인 세계는** 완성이라는 키워드가 있다. 이 미래 상황을 극복하지 못하면 미완성이 될 수 있는 부정적인 측면도 있다. 완성으로 가지 못하고 한쪽이 포기하거나 아니면 비밀연애로 갈것인가, 욕을 먹더라도 공개연애로 갈것인가는 소드의 지혜와 냉정. 침착. 의지와 결단력으로 이 두 남녀의 연애를 판가름 할 수 있는 것이다.

[문 47] 헤어진 남자친구와 재결합 있는지요?

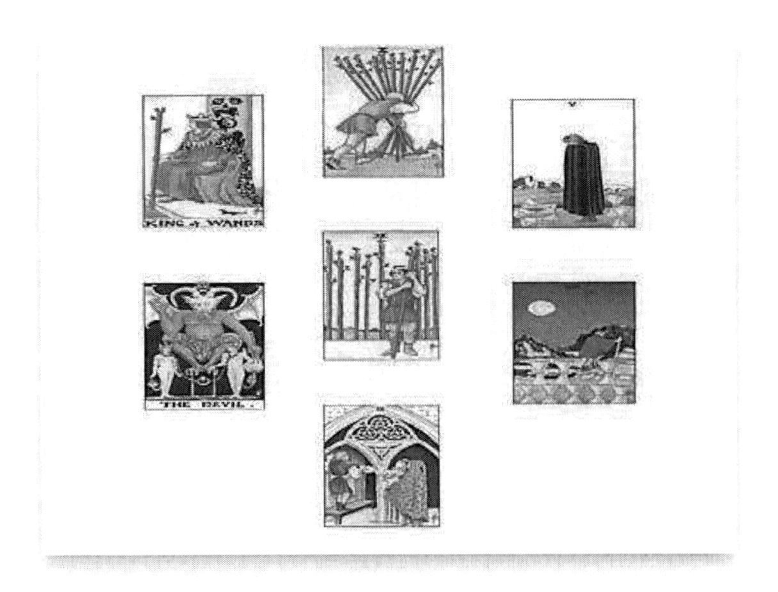

현재 컵 8으로 보면 사랑을 채우지 못하고 남자가 떠나는 모습이 보인다. 남자가 단호하고 먼저 이별 선고를 했다는 것이 **완즈 왕을** 보고 알 수 있다. **완즈 왕은** 남자의 모습인데 이별한 상태에서는 부정적 측면이 강한데 여자를 향한 감성보다는 적극적 행동으로 여자를 판단했는데 **과거 완즈 10을 보고** 두 사람의 애정이 힘들었다는 것을 알 수 있다.

여자의 모습은 컵 5으로 이 남자를 향한 애정이 아쉬움이 많이 남아 있다. 남자의 완즈의 성향과 여자의 컵의 성향이 서로 맞지 않아 사귄 지는 100일 정도 밖에 안 되었지만 두 사람이 너무 싸워 남자가 결혼하면 이혼할 것 같아 지금 헤어지자고 했다고 한다. 그렇지만 여자는 이 남자에 대한 미련이 남아 있어 이러지도 저러지도 못하고 남자와 다시 재결합만 생각하고 있다.

악마는 중독. 구속. 집착의 의미를 가지고 있다. 앞으로 이 남자에 대한 집착으로 정신을 못 차리고 불안한 모습이 **완즈 9를 보고** 알 수 있다. **조언으로는 펜타클 3이 나왔다.**

펜타클 3은 얼마되지 않은 연애기간에 설레임이 지난 상태이고 주변의 도움이 없으면 이 남자와의 관계를 청산하고 새로운 소개팅으로 다른 남자를 만나는 것이 좋다고 조언할 수 있다.

그렇지만 이 여자는 **악마와 컵 5의 성향으로 보아** 이 남자에 대한 미련과 집착으로 남자의 주변을 벗어날 수 없어 새로운 남자나 애정보다는 취미생활이나 직업적으로 열중하는 것이 현명할 수 있다.

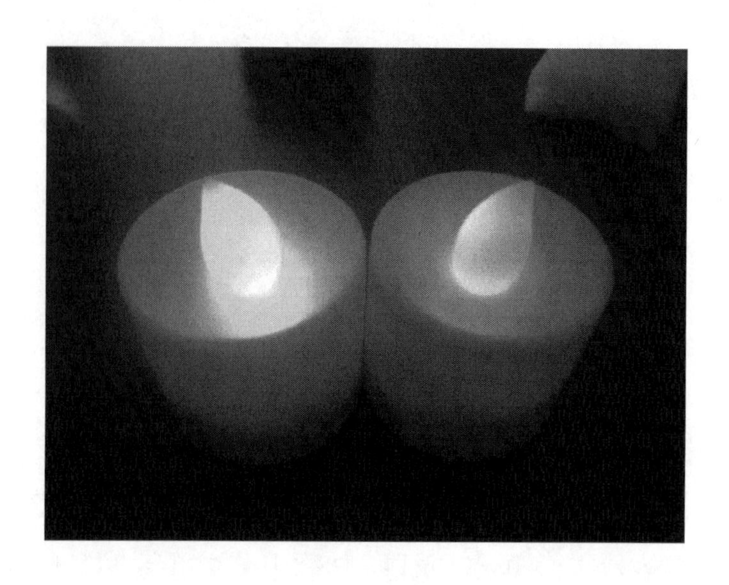

[문 48] 전세 보증금을 받을 수 있나요?

계약 만료가 지난 지 반년이 지났어도 집이 나가지도 않고 집주인이 돈이 없어 전세 보증금을 받지 못하고 있다. 어떻게 해야 할지 답답하다고 한다.

현재 상황과 현재에 대한 영향력은 세계. 소드 8이 나왔다. 세계카드의 부정적 의미는 미완성이라는 키워드가 있는데 현재 전세 보증금 9천만을 받지 못하여 새롭게 이사를 가지 못하고 있는 상태이다. **소드 8는** 이렇지도 저럴지도 못하고 내 능력으로 어떻게 할 수 없으며 묶여 있는 형국이다.

과거의 모습으로는 펜타클 6이 나왔다. 시기적으로 계약 만료전 시점이 돈이 보이고 두 사람이 집을 계약하려는 모습이 보였는데 **문제점으로는 컵 10이 나와** 세입자가 살기에는 집이 노후가 되어 가정집으로서는 만족스럽지 못한 부정적 측면이 많아 계약이 이루어지지 못했다고 하니 처음에는 집을 물어보는 사람이 있었는데 그 뒤로 집을 보러 오는 사람 자체가 없다고 한다.

미래 카드에 연인이 나왔다. 연인은 이런 미숙한 상황에 제 3의 귀인이 나타나 도움을 주어야 하는데 이런 부분이 부족하다고 보여주니 **결과카드에 고위 여사제 카드가 나왔다.** 고위 여사제는 돈과 인연이 약하여 쉽게 돈이 나오지 않고 법으로 집행하거나 아니면 고위 여사제의 분명하고 균형에 맞는 긍정적인 제 3의 협력자가 나타나면 돈을 받을 수 있다.

조언 카드로는 소드 7이 나왔다. 서둘지 않고 너무 안일하게 생각했던 것이 현재 이런 상황을 만들었다. 법적으로 확실하게 따져야 하는 전략적 사고가 필요하다. 집주인의 잘못된 사고방식을 인식시켜 주어야 하며 집주인이 조건을 맞추어 서둘러 집을 내놓지 않고 안일한 행동이 현재 세입자가 억울하게 곤경에 처해 있는 상황이다.

단순히 새로운 세입자가 입주하기를 바라는 것은 조건이 너무 맞지 않다는 것이고 주변 집의 공급량이 너무 넘쳐 신축건물에 밀릴 수 밖에 없고 전세 보증금을 내리지 않는 집주인의 욕심 때문이고 또한 현재 이사하지도 못하는 세입자의 안일한 태도에 문제가 더 있으니 **소드 7의** 꾀돌이 같은 성향과 욕심을 보여주어야 하는데 이런 성향을 내비치지 않으니 집주인 입장에서는 만만하게 보인 것이다.

[문 49] 40대 여자분이 현재 다니고 있는 직장을 잘 다닐 수 있을까요? (직장운)

과거에도 (소드 2) 직장 고민이 많이 했지만 **현재는** (달) 너무 스트레스를 받고 있다. 어쩔 수 없이 돈을 벌어야 하기에 다니고 있지만 앞으로 직장생활이 너무 힘들고 고비가 온다. **(펜타클 5)** 앞으로 이 직장생활을 잘 유지할려면 마음을 순수하게 낙천적이고 긍정적이며 마음의 문을 열어야 한다. **(태양)**

여기에서 **현재 영향력의 카드인 펜카클 10이 나왔다.** 이 카드를 보고 직장안의 모습으로 보아야 할지 본인의 가정(가족)으로 보아야 할지 난감하다. **펜타클 10을 보고** 직장내의 분위기를 부정적 측면으로 보아야 할지 아니면 자신의 가족을 위해서 어쩔 수 없이 직장생활을 해야 하는지 이러한 해석을 **과거(소드 2), 현재(달)카드** 비교하여 여러 가지 상황을 유추 해석해야 한다.

처음에는 타로리딩을 배열에 따라 한 장씩 해석하지만 나중에는 전후관계로 따져보고 여러 장을 묶어서 질문에 맞는 스토리를 만들어 내어야 한다. 본인의 직장생활에서 **문제점은 (펜타클 기사)** 소심하고 융통성이 없으며 맡은바 일은 성실하게 잘하지만 주변에서 답답하게 보고 있으며 본인 스스로 적극적인 자세로 주변 동료들이나 상사분에게 좀 더 적극적인 자세로 맞추어 가도록 노력해야 한다.

타로 배열에서 **메이저 카드가 많이 나오면** 현재 이분의 내면적인 고민이 많고 의미가 크다. 무조건 결과가 안 좋다고 퇴직할 수 밖에 없다고 결론을 내리는 것보다는 본인 스스로 현재 상황의 문제점을 파악하여 부정적인 마음을 긍정적인 마음으로 전환시켜 주는것이 진정한 타로리딩의 본질인 것이다.

[문 50] 같이 일하신 상담 선생님과 잘 지낼수 있을까요?

사주타로샵에서 새로운 상담 선생님 오셨는데 샵 운영에 도움이 될 수 있는지와 서로 잘 지낼 수 있는지 궁금하다고 한다.

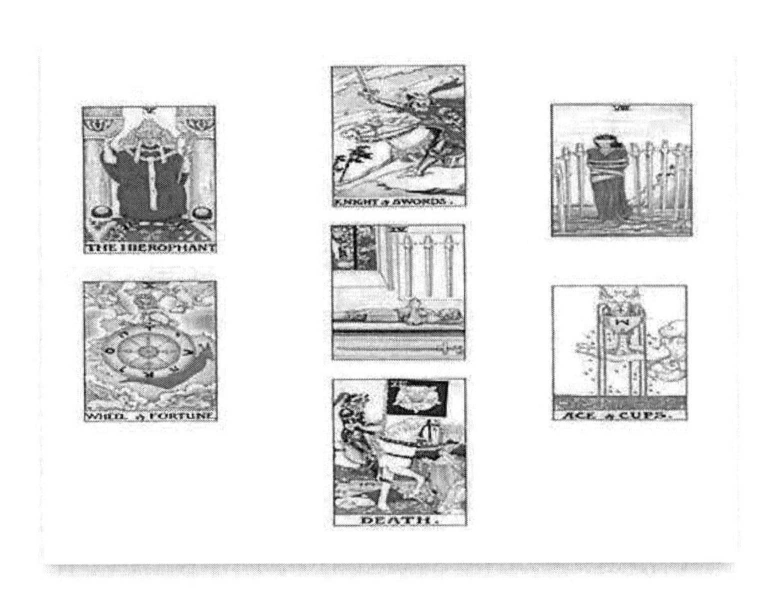

과거는 검 기사 카드이다. 알고 지내는 편한 사이라고 보기에는 힘들고 갑자기 빠르게 상대와 인연이 되었다. **현재는 컵 에이스 카드이다.** 서로 마음은 잘 맞는다고 생각하고 있다. **상대의 속마음은 정의 카드이다.** 고지식하고 융통성이 없고 상담가의 책임감은 강하지만 현실적인 금전 감각이 부족하여 돈이 안 되니 샵 주인입장에서는 속이 터진다. **본인의 속마음은 검 8 카드이다.** 본인은 불안하고 답답하고 스트레스 받고 있다. 서로 마음은 맞아 이해는 하는데 샵 운영에 도움이 안 되니 이러지도 저러지도 못하고 있다.

미래는 운명의 수레바퀴이다. 이 상담 선생의 상담 스타일은 쉽게 바뀌지는 못하지만 시간이 걸린다. 그러나 샵 운영에 차질이 생겨 상담 선생을 내 보내야 하는 변동 수가 생긴다. **결과는 검 4 카드이다.** 결과는 안 좋고 새 출발의 준비 단계이다. **문제점과 해결 방안은 죽음 카드이다.** 빨리 끝내고 새로운 선생을 구하든지 아니면 상대를 변화시키든지 본인이 마음을 비워야 한다.

*** 추가로 타로 상담가가 뽑은 경우**

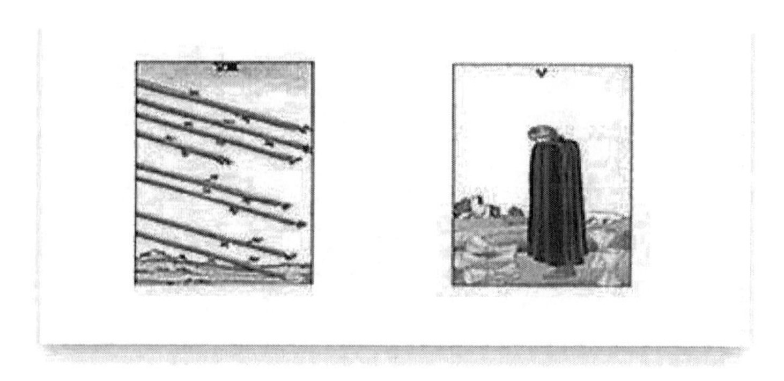

현재 완즈 8 카드이다. 마음이 떠 있고 변동이 일어날 수 있다. **결과는 컵 5 카드이다.** 이러지도 저러지도 못하고 고민하고 있다. 과감하게 선생을 대체 시켜야 한다.

질문] 선생이 나가면 대체 선생이 올 수 있을까요?

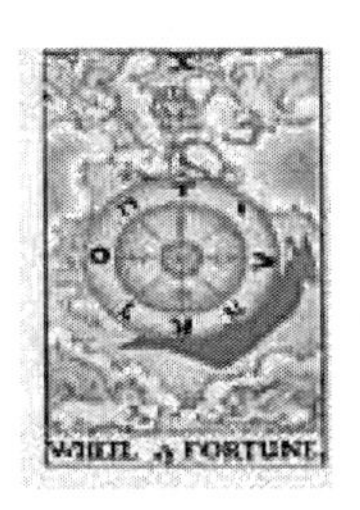

현재상황은 운명의 수레바퀴이다. 쉽게 대체선생이 있긴 하는데 쉽게 오기 힘들다. 시간이 좀 가야 한다.

진행상황은 완즈 9 카드이다. 대체 할 수 있는 선생이 현재 상황이 안 좋아 조금 기다려야 한다.

결과는 컵 왕 카드이다. 상담에 자질이 있고 능력이 있으며 인기도 있는 선생이 온다.

[문 51] 여성 질문자가 남편과 좋은 관계로 이별하고 싶은데 어떻게 해야 할까요?

10년 전 유명 타로강사가 실전 3 카드배열 정.역방향으로 해석한 통변강의 자료인데 공부 차원에서 제 방식(여명쌤)으로 통변(리딩)을 해 볼까 한다. 점술이나 역학이나 모두 추리력에 달려 있다. 여러 추리를 통하여 공부하고 다양한 스토리를 만들어 내면 자신만의 창의성이 개발이 되여 자기것이 된다.

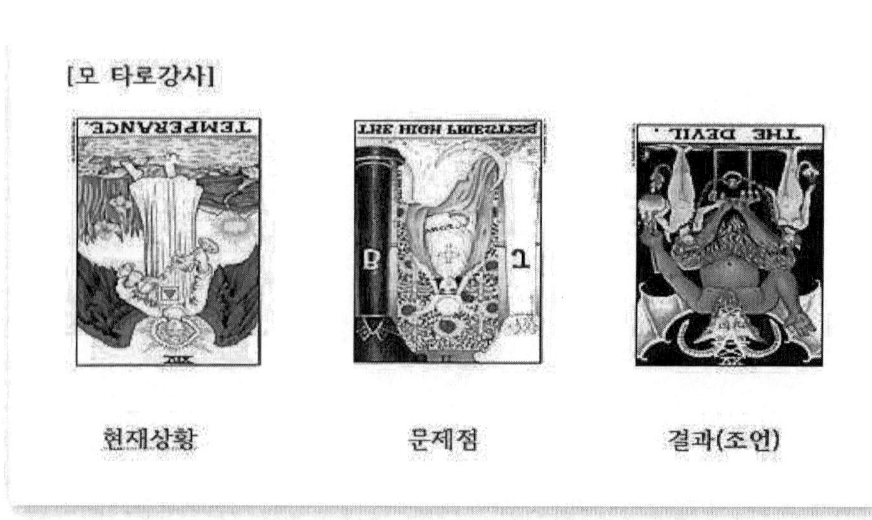

메이저 카드로만 스프레드를 하였고 **3장 모두 역방향으로** 나와 있다. 역방향은 부정적인 측면이 강하여 부부관계가 안 좋다고 해석할 수 있다. 따라서 **결과가 악마 역방향으로** 이혼할 수 있다고 통변한다. 그러나 정.역방향 구별 없이도 배열법에 따른 카드 자체의 해석을 얼마든지 다양하게 추론할 수 있다.

타로카드 배열에 앞서 질문자의 질문내용을 잘 분석해야 한다. 질문 속에 핵심이 드러난 경우가 많아 타로통변에 매우 중요하다. 먼저 타로질문자가 이혼하는 마음을 갖고 있다는 것을 먼저 파악해 하고 이별에 대한 불안한 마음도 있다는 것을 전제하에 타로리딩이 들어가야 한다.

3 카드 배열법에 있어서 **현재 상황은 절제 카드가 나왔다.** 역방향이 나오면 부부간의 서로 소통이 안 되고 힘들다는 것은 누구든지 파악이 된다. 그러나 실전에서 부부관계가 안좋다고 해서 현재 상황 카드가 역방향으로만 나오지 않는다는 것을 알아야 한다. 정.역방향에 너무 치우치다 보면 앞뒤 맞지 않는 스토리가 전개되는 경우가 많기 때문에 카드 방향과 상관없이 해석해야 한다.

[여명쌤 타로]

[**현재상황: 절제**]

질문자가 이혼을 언급한 질문이기 때문에 당연히 현재상황의 절제는 부정적인 측면이 위주가 되어야 하고 부정 속에 긍정도 유추 해내야 한다. **절제 카드라** 현재 부부관계가 원만치 않고 절제심이 깨져가고 있으며 이러지도 저러지도 못하고 있는 모습이다. 하지만 부부간의 사랑했던 깊은 감정은 아직 남아 있다는 것을 알 수 있다.

[문제점: 고위 여사제]

현재의 모습(상황)에 대한 원인은 문제점 카드인 **고위 여사제**로 확인할 수 있다. 문제점은 거의 부정적인 측면으로 통변한다. **부부관계에 고위여사제의 부정적 측면을 본다면** 내조를 못하고 순수하지 못한 여자로 부부관계가 원만치 않는 비밀이 있다는 것을 알 수 있고 이 여성 질문자의 정신상태가 온전치 못하고 복잡하다는 것을 알 수 있다. 그리고 부부애정을 지키려는 정신적 사랑이 많이 약하다고 볼 수 있다.

[결과(조언): 악마]

결과 카드에 악마 카드가 나왔다. 여기서 타로 리더가 결과를 유추하기 전에 먼저 타로 질문자가 좋은 관계로 이별하고 싶다는 질문 속에 비밀이 숨겨져 있다. **이 악마 카드는** 정신상태가 구속. 집착이나 비정상적인 관계에서 나오는 카드이다. 여기서는 각자 타로리더의 직감력에 따라 부부관계의 깊은 비밀을 알 수 있다. 질문자 왈, 현재 남편은 희귀병에 걸려 정상적인 활동과 부부관계를 하지 못하고 있다고 한다. 그렇다면 질문자의 질문내용이 이혼을 어떻게 해야 하느냐? 라는 물음에 결과(조언)을 설명해주어야 하는데 결과에 대한 해답은 두 가지 측면으로 해석해 주어야 한다.

첫째로 좋은 관계로 자연스럽게 이별할 수 없는게 **악마 카드**이기 때문에 당신이 남편을 위해서 평생 몸과 마음으로 책임질 수 없다면 남편에 대한 모든 구속에서 벗어나야 하기 때문에 서로 간에 합의가 아닌 당신 스스로 결정을 내려야 한다.

두 번째는 **악마는** 서로간에 묶여 있는 관계로 쉽게 벗어나지 못하고 결정하지 못하며 또 다른 비밀을 간직한 째 육체적인 성욕에 시달리게 되며 또 다른 사랑을 찾게 된다. 이렇게 두 가지 측면으로 조언을 해주면 올바른 정답이 되는데 단순히 악마 카드가 역방향이라 남편에 대한 고민이 풀려 이혼이 이루어진다고 리딩할 수 있다.

[문] **여성 질문자가 남편과 이별하고 나면 앞으로 어떤 상황이 오나요?**

여성 질문자가 다시 질문하면서 남편과 이혼 후 자신의 상황에 대해서 물어본다. 모 타로강사는 현재상황에 남편의 모습으로 역방향이라 남편의 자리에서 떨어져 나간 모습으로 설명하고 문제점으로는 남편이 은둔자로 비정상적 상태로 이혼 후 결과 카드에 스타 역방향이라 다른 남자가 이미 있거나 들어온다고 해석하였다.

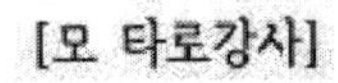

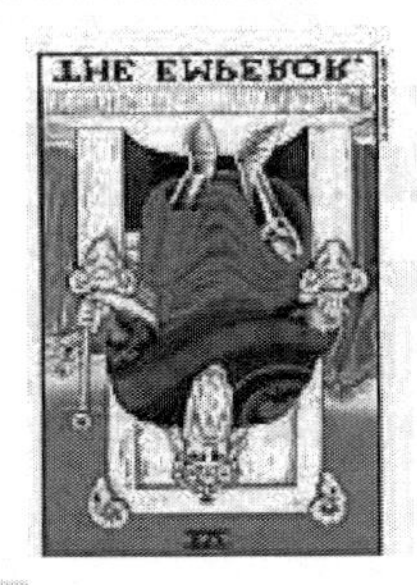

[여명쌤 타로]

[현재상황: 황제]

현재 상황에 황제 카드는 남편으로 보는 것보다는 질문 내용이 이혼 후 자신의 상황에 대해서 물어 보았기 때문에 질문자의 모습이기도 하며 아니면 새로운 남자의 모습이기도 하다. 황제는 당당하지만 내심 불안한 모습이기도 하다.

[문제점: 은둔자]

문제점으로 은둔자는 부정적 측면으로 본다면 감추어졌던 남자가 드러나 비밀이 누설이 되거나 아니면 질문자의 모습으로 남편과의 이별의 아쉬움과 미련으로 나타나며 또한 정상적이지 못한 남편의 모습으로 역투사하여 겉으로는 이혼 후 당당해 보이는 황제의 모습이지만 내심 불안하다는 것을 알 수 있다.

[결과: 스타]

결과(조언)는 스타 카드로 긍정적인 측면으로는 이혼에 대한 상처와 회복이 서서히 다가오고 또 다른 사랑이 찾아온다는 것으로 조언을 해주어야 하며 부정적인 측면으로는 상처와 회복이 더 걸리고 이혼 전에 순결치 못한 또 다른 애정이 드러나 위선적인 사랑이었다는 것을 **문제점인 은둔자 카드로** 알 수 있다. 실제로 현재 어릴 적 남자친구가 갑자기 나타나 애매한 관계로 만나고 있다고 한다.

[문] **여성 질문자가 남편을 위해서 나는 어떻게 해야 하나요?**

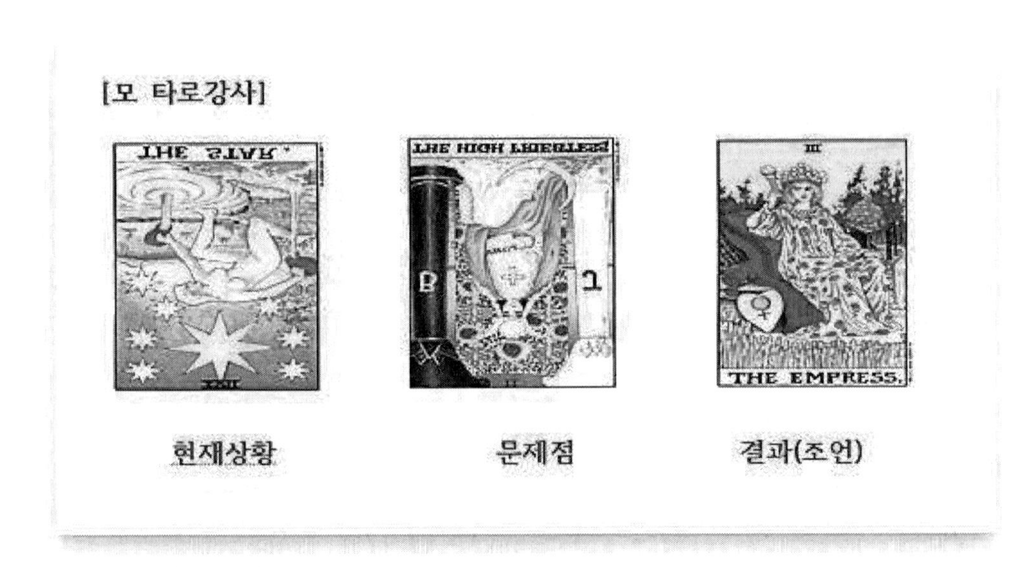

스타 카드와 고위 여사제 카드가 역방향으로 나와 남편에 대한 순수한 마음으로 가정을 지키고 **여황카드 정방향으로** 남편을 위해서 사회활동을 해야 하며 물질적 풍요를 추구해야 한다고 해석하고 있다.

[여명쌤 타로]

[현재 상황: 스타]

현재 상황에 스타는 처음에는 힘들고 나중에는 좋아진다는 긍정적인 측면으로 남편에 대한 희망과 기대를 가지고 치유와 회복을 위해서 최선을 다해야 한다. 그만큼 현재상황은 힘들다는 것을 알 수 있다.

[문제점: 고위 여사제]

고위 여사제는 외로운 여자이고 그 외로움을 극복하지 못하면 비밀스런 사랑행위를 할 수 있으며 성향으로는 남편과의 지나친 까다로움과 고집 등으로 힘들 수 있다. 따라서 남편의 현재 모습으로 인하여 자신의 정신세계가 불안정해져 자신 또한 부인과 질환으로 고생할 수 있다.

[결과: 여황]

결과는 조언으로 질문자가 남편을 위해서 자신의 방향성을 물었기 때문에 긍정적인 측면으로 조언을 해주어야 한다. **여황은** 물질의 풍요를 의미하기 때문에 당연히 경제적으로 스스로 힘을 써야 하며 또한 **여황은** 모성애가 있는 여자의 모습이라 남편을 대하는 모습은 자식같은 모성애이며 항상 긍정적이고 실용적인 마인드로 사람들과 소통하는 밝은 모습이 필요하다.

[문] **여성 질문자가 이혼하면 남편의 병세가 앞으로 좋아질 수 있는지?**

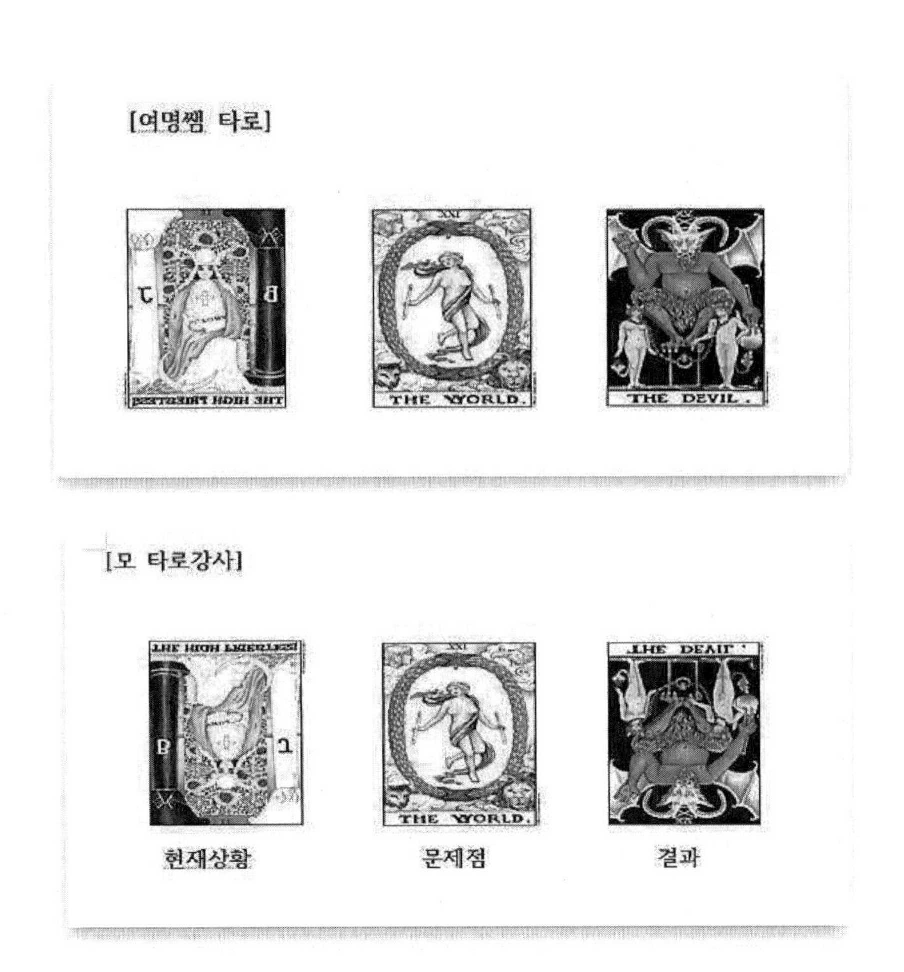

현재 상황이 고위 여사제 역방향이라 질문자가 남편의 병이 자신때문이라는 강박증을 가지고 있고 **문제점으로는 세계 카드가** 자신만의 사고방식에 사로잡혀 있고 통변하며 **결과(조언)으로는 악마 카드 역방향이라** 질병에서 회복될 수 있다고 해석하고 있다.

[현재상황: 고위 여사제]
여성 질문자의 질문 속에서 자신을 만나 결혼하여 남편이 불행해졌다는 마음이 표현되어 있다. 그리고 여러 질문속에서 똑같은 카드가 중복되어 나오고 있다는 것은 그 중복된 카드가 핵심카드이다. **현재상황은 고위여사제로** 질문자의 모습으로 봐야 할지 아니면 남편의 모습으로 봐야 할지 고민이 된다. 고위여사제의 토라는 이혼문서를 의미하고 질문자의 감정기복이 심한 상태를 말한다.

[문제점: 세계]
왜냐하면 **문제점에 세계 카드는** 결혼의 부정적 측면인 이혼을 나타나며 또한 물상으로 보면 남편의 육체(질병)가 점점 묶여가고 있다.

[결과: 악마]
결과 카드에 악마가 정,역방향 구별없이 현재 남편이 앓고 있는 질병은 회복될 수 없는 병이며 어쩌면 시한부 인생일 수도 있다. 실제 남편의 질병은 살이 썩어가는 희귀질환이라고 한다. 따라서 결과 카드가 악마 역방향이라도 건강이 회복되기는 힘들다고 누구나 알 수 있다. 또한 이혼 후 남편의 정신상태는 더욱 불안하여 건강이 더 안좋아 질 수 있다.

[결론]
질문내용과 배열법에 따른 의미로 전후관계를 파악하면 굳이 정,역방향 따질 필요가 없다. 그러나 각자의 역량에 따라 역방향을 따져 통변이 용이하면 그대로 역방향을 적용해야 한다. 왜냐하면 무엇이 옳다고 볼 수 없으며 본인 스스로 판단하여 통변을 하면 각자의 타로리더의 정신계가 그대로 맞추어진

다.

한 장으로 보는 1 카드 통변은 양면성을 보지 못하기 때문에 이런 경우에는 1장으로 정.역방향을 구별하여 가부결정을 해야 하며 타로카드에 나오는 이미지를 주관적인 느낌으로 보는 물상통변은 긍정.부정적 측면과 관계없이 다양하게 질문 상황에 맞추어 통변할 수 있는 직관통변을 할 수 있기 때문에 올바른 정답은 없다. 배열법 통변을 무시하고 무조건 타로 그림만 보고 족집게 직관통변은 각자의 컨디션에 따라 호불호가 다르기 때문에 이런 직관통변은 신중해야 한다.

[문 52] 40대 후반 여자인데 결혼 전부터 알고 지내던 절친과의 관계는?

과거 완즈 기사와 현재 상태는 펜타클 7과는 대조적인 모습이다. 과거는 두 사람과의 관계는 열정이 살아있는 관계이고 두 사람이 서로 통하는 관계로 보이지만 현재는 망설이고 잠시 고민과 생각으로 정체된 상태이다. **상대인 친구분의 모습과 본인을 바라보는 모습은 여황이다.** 이 여황카드의 부정적인 측면으로 해석해야 하는데 사랑받지 못하는 여성이거나 자기밖에 모르고 집착이 강하다고 할 수 있으며 아직 싱글이거나 돌씽녀 일수 있다.

실제로 아직 미혼이라고 하고 대인관계가 문제가 있어 현재 남아있는 친구는 거의 없고 오로지 상담 내담자에게만 의지하고 있다고 한다. **내가 바라보는 모습은 완즈 2가 나왔다.** 친구와의 관계를 새롭게 확실히 하려는 행동이다. 아직은 이 친구와의 단절은 아니며 **결과 카드가 컵 8이 나와** 절교를 하려는 상태이다.

미래 카드는 펜타클 10이다. 펜타클 10도 부정적인 측면으로 해석해야 하는데 화목. 가족을 의미하는 것이 깨지니 그 동안 형제나 다름이 없었고 물질적으로는 도와주었지만 밑빠진 독에 물붓기이다. 그래서 **결과 카드가 컵 8이 나왔다.**

컵 8은 기존의 틀을 포기하고 새로운 전환의 시작이다. 결국은 관계를 청산하고 떠난다는 의미인데 이것을 또다른 입체적인 통변을 하면 컵 8이 친구의 모습으로 절교를 하고 슬픔에 이기지 못하여 극단적인 선택을 할 수도 있는 모습이다.

조언 카드로는 탑 카드이다. 파격적인 변신만이 현재의 고통을 벗어날 수 있고 새 출발을 할 수 있다. 그러나 이 카드가 나오면 현재 힘든 상황이고 너무 답답하여 정리하지 못한 상태인데 모든 것을 정리하고 완전히 새로운 시작을 해야 한다고 조언을 해주어야 한다.

현재 이 친구와의 관계를 유지하기 위해서는 지금까지 이 친구를 대하는 자세를 완전히 새롭게 바꾸어야 하는 파격적인 변신을 해야 한다. 그렇지 않으면 두 사람의 관계는 고통의 나락으로 떨어져 너무 힘든 상황으로 이어지게 된다.

메이저 카드가 2장이 나왔는데 상대방 여황카드와 조언카드에서 탑이 나왔다. 문제의 원인은 상대방 친구분이 가지고 있는데 정신적, 육체적 고통과 주어진 환경이 너무 힘들다고 한다.

[문 53] 유치원 교사인데 직장 잘 다닐 수 있을까요? (직장운)

과거 카드는 완즈 4이다. 과거 직장은 안정적이고 가족 같은 분위기로 좋았다. **현재 카드는 검 소년과 악마이다.** 안좋은 시작을 했으며 스트레스를 받고 있다. (유치원 부조리 장부를 자신에게 맡겨 심적 부담을 받고 있다고 한다.)

문제점은 완즈 7 카드이다. 업무가 많고 힘겹고 버거우며 힘들다. **미래는 소드 에이스 카드이다.** 계속 스트레스를 받고 잘못되면 자신까지 문제가 될 수 있다. **결과는 소드 4 카드이다.** 새 출발의 준비 단계이고 과로나 입원하여 퇴직할 수 있다.

조언 카드로는 스타이다. 처음에는 힘들고 나중에는 좋아진다는 의미가 있지만 이런 상황에서는 긍정적이고 원만하게 가야 하고 맑은 기운으로 가야 하기 때문에 퇴직하는 쪽으로 방향 전환을 해야 한다. **소드(검)가 많다는 것은** 스트레스를 많이 받고 있다는 것이다.

문] 직장을 그만두면 새로운 직장을 한 달 안에 구할 수 있는지요?

현재는 죽음 카드이다. 전화위복을 의미하며 새로운 시작을 의미한다. **진행으로는 완즈 2 카드이다.** 새로운 업종과 시작을 의미하며 **결과는 완즈 10 카드이다.** 한달 안에 직장을 구한다는 것은 버겁고 힘들다.

[문 54] 10 카드 실전통변 (궁합)

10장의 카드 배열로 한 사람이나 두 사람 커플이 찾아와 궁합을 보는 것으로 7장 배열보다는 훨씬 쉽게 통변할 수 있는 있다. 결혼을 전제로 만나는 커플 궁합에게 주로 적용해야 한다.

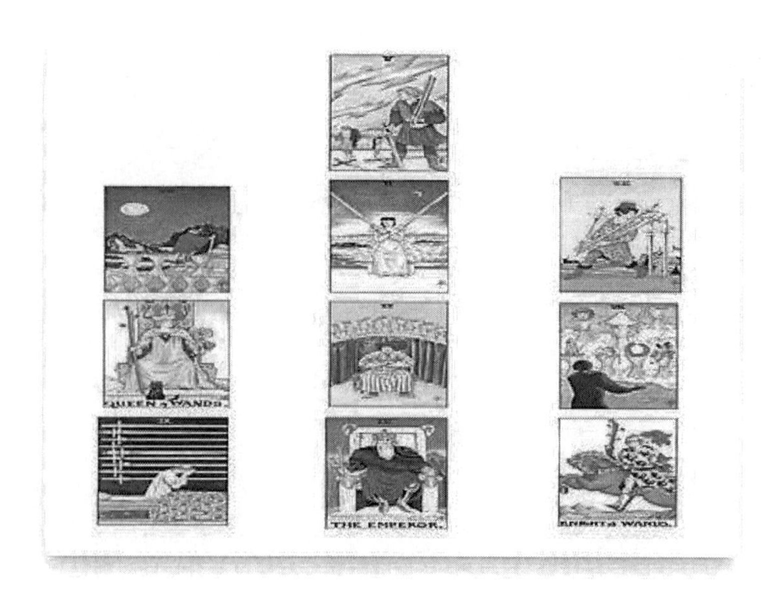

1. 그는 나만을 사랑하는가: 소드 5

사귄 지 얼마 안 되었으면 과거 상처가 있다. 그렇지 않으면 서로 싸우고 있다.

2. 나는 그를 믿고 있는가: 소드 7

욕심을 내고 있고 대화가 안된다. 헤어지기는 아쉽다.

3. 현재 궁합: 소드 2

서로 고민하고 있다. 갈등. 진퇴양난

4. 그는 나를 믿고 있는가: 컵 8

마음을 비우고 애정을 포기 할려고 한다.

5. 그는 바람기가 있는가: 컵 7

바람기는 없지만 과거 여자에 대한 생각이 많다.

6. 나는 그를 경제적으로 믿는 마음: 컵 9

그를 경제적으로는 안정이 되고 믿고 있다.

7. 결혼: 완즈 여왕

여자쪽에서 적극적으로 추진해야 한다.

8. 결혼 후 서로 경제적, 정신적으로 만족하는가: 완즈 기사

부부가 떨어져 살 수 있거나 서로 노력할 수 있다.

9. 자녀문제: 황제

아들이 생길 수 있고 자녀교육에 책임감이 있다.

10. 결과: 소드 9

힘들다. 서로 맞지 않고 불안하다. 결과가 안 좋으면 결혼 안 하는게 좋다. 그러나 결과가 좋아도 궁합이 안 좋은 경우가 있으니 여러 가지 주변 배열 카드 상황을 보고 종합적으로 분석해야 한다. 한 사람이 보면 10장을 뽑고 두 사람 커플이 보면 각자 5장씩 뽑는다.

[문 55] 동업을 같이 하고 있는데 어떠한가?

과거 카드는 컵 8이다. 마음을 비웠고 서로 맞지 않는 부분이 있어 동업이 깨질 수 있다. **현재는 펜타클 기사 카드이다.** 큰 문제는 없지만 답답하고 변화가 없다. **상대의 속마음은 완즈 2 카드이다.** 상대는 활동적이며 의욕의 강하고 다른쪽으로 눈을 돌리고 있다.

본인의 속마음은 펜타클 4 카드이다. 안정적이고 고지식하며 안정적으로 그대로 갈려고 하는 스타일이라 서로 성향이 다르다. **미래 카드는 검 소년이다.** 다툼이 일어 날 수 있고 문제가 시작될 수 있다. **결과는 검 3 카드이다.** 동업관계가 깨진다.

해결방안이나 문제점으로는 전차 카드이다. 동업을 유지하려면 서로 조절과 화합으로 균형을 맞추어야 하고 변화를 두어야 한다. 동업을 깨려면 빠른 변동을 두어 정리해야 한다.

문) 동업자를 내보내고 나 혼자 사업하면 잘되겠는가?

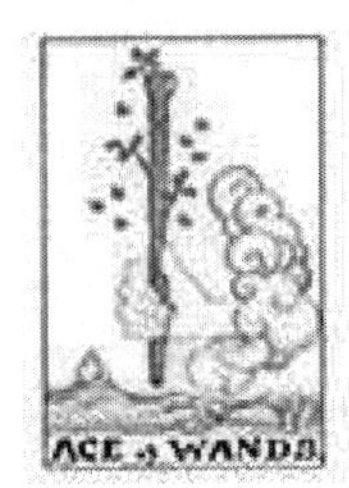

현재 상황은 완즈 4 카드이다. 현재까지 사업은 나쁘지 않다. **진행과정은 완즈 에이스 카드이다.** 의욕이 생기고 새로운 좋은 시작이다. **결과는 컵 6 카드이다.** 크게 잘되는 것은 아니지만 나름 만족한다.

[문 56] 산재 소송을 이길 수가 있을까요?

과거 카드는 절제이다. 서로 합의가 안되었고 시간이 걸린다. 도와주는 기운이 있어 소송에 이길 수 있다고 생각하고 있다. **현재 카드는 펜타클 6. 여황이다.** 판사가 주는자 받는자 사이에 저울질하고 있는 모습인데 피고가 금전을 많이 요구하고 있다.

문제점은 검 에이스이다. 법으로 해결해야 하고 내 주장도 강하다. (복지공단에서도 방해를 하고 있다고 한다.) **미래 카드는 검 5이다.** 실속이 없고 상처뿐인 승리이다. **결과는 컵 10이다.** 결과는 이기지만 별로이다. 결과가 마이너 카드라 크지 않다.

조언 카드는 완즈 왕이다. 힘이 있는 변호사가 필요하고 더 열정적이고 단호하고 결단력을 가지고 재판에 임해야 한다.

[문 57] 아들이 원하는 직장에 취직할 수 있을까요? (취업운)

과거 카드는 검 7이다. 힘들고 버겁다. 떨어진 경험이 있다. **현재는 황제, 컵 7이다.** 꼭 될것이라는 생각을 하고 시시한 것을 싫어한다. (현재 경찰 간부 공무원 준비중) 불안하고 생각이 많다. **문제점은 완즈 소년이다.** 새로운 계획과 시작을 세우는데 아직 부족하다. **미래는 완즈 여왕이다.** 원하는 실력을 갖추고 완성한다. **결과는 정의 카드다.** 법, 행정고시 등 합격한다. **해결방안은 검 6이다.** 지금까지 고생했으면 조금 노력하면 된다.

[문 58] 30대 초반 여자분이 현재 남자친구와의 애정 운은?

남자친구 사업으로 인해 자주 보지 못하고 있다. 바빠서 자주 보지 못하는 것에 대한 불만이 많아서 계속 사귀어야 하는지 고민이라고 한다.

남자친구 사업으로 인해 자주 보지 못하고 있는데 바빠서 자주 보지 못하는 것에 대한 불만이 많아서 계속 사귀어야 하는건지 고민중이라는 질문에 **과거(펜타클2) 현재상태(악마.펜타클여왕). 문제점(펜타클왕)** 이 4장의 카드로 파악할 수 있다. 여자분이 불만의 원인은 **펜타클 왕인데** 남자의 사업을 의미한다. 갈등하는 모습은 **과거 펜타클** 2와 불만의 최고조는 **현재 악마카드로** 알 수 있고 남자가 있어도 애정의 감성이 부족하고 우울한 모습은 **펜타클 여왕**으로 느낄 수 있다.

정의 카드는 냉정하고 이성적으로 옳고 그름을 따지기 때문에 두 사람의 서로 포용하는 애정의 감성이 부족하다. 따라서 **결과카드인 힘은** 당분간에 남자친구를 이해하고 희생하는 마음이 중요하는데 부족하다고 통변해야 한다.

따라서 **조언카드 컵 9는** 남자나 여자 한쪽이라도 애정을 확인하고 자신감과 여유를 가지고 리더를 해야 한다. 이런 경우는 대부분 여자 상담자가 현재 남자친구가 자기를 어떻게 생각하느냐고 질문을 던집니다.

추가로 1장을 뽑으니(**완즈 6**) 남자친구는 당신을 사랑하고 결혼까지 생각하고 있고 상대가 자기를 따라와 주기를 바라는 마음이 강하다. 결론적으로 여자쪽이 이해와 포용력(희생)이 없으면 이 관계는 힘들어진다고 볼 수 있는데 결국은 한달 뒤에 헤어졌다고 연락이 왔다.

[문 59] 현재 간호사인데 여기를 계속 다녀야 할까?

23세 여자로 병원에 근무한지 3개월차라고 한다. 지금 직장이 본인의 능력에 비해 과분하다고 생각이 드는데 자신이 따라가지 못해서 힘들다고 한다.

업무에 고민과 갈등이 있다는 것을 **펜타클 2를** 보고 알 수 있습니다. **현재의 모습은**(**컵** 4. **컵** 10) 직장에서 벗어나고 싶은 마음과 피로감이 쌓이고 직장내 분위기를 맞추어 소화하기가 부담스러운 상태이고 **컵** 10**은** 부정적인 측면으로 리딩해야 한다. 마음이 떠서 다른 곳으로 이동할려고(**완즈기사**) 하는데 핵심 카드가 **교황으로** 나왔다. **교황은** 중재. 균형. 평등으로 어느 한쪽으로 치우치지 않고 신중해야 하며 현재 자신에게 처해진 상황을 받아들이고 노력하며 순응하는 자세이다.

또한 **문제점으로 완즈 3는** 퇴직할 마음으로 몸이 움직이고 있어 현재 지금은 이직하면 결과적으로 불리하다고 볼 수 있다. 좀더 적극적으로 현재 병원에서 처해진 자신의 역할수행을 열정적으로 받아들여 행동으로 보여주는 자세가 필요하다. **(완즈 에이스)**

그렇지 않고 자기 방식대로 고집을 피우고 현재 있는 직장을 벗어나고 싶은 마음만 강하다고 볼 수 있는데 시기적으로 아직은 이직하면 안되고 어느 정도 적응을 하면 안정을 가질 수 있는데 이직한다고 무조건 좋다고 볼 수 없다.

[문 60] 남자친구가 이별을 통보했다. 다시 만날 수 있을까?

만난 지 4개월 정도 되었는데 남자친구가 헤어지자고 하였고 일주일의 시간을 갖자고 하였다고 한다. 만나면서 결혼에 대한 집착을 보인것이 탈이 난것 같다.

소드 8이나 9를 통하여 남자에게 집착하고 불안한 모습이 강해 보인다. **스타를 보면** 그만큼 남자에게 몸과 마음으로 빠져 있다는 것을 알 수 있다. **고위 여사제를 통하여** 여자를 바라보는 남자의 마음상태를 보고 또한 여자의 모습으로 입체적인 통변할 수 있다. 고위 여사제의 문서는 결혼문서를 의미하며 두 사람의 까다롭고 예민한 상태로 분명한 관계를 원하다는 것을 유추해 볼 수 있다.

사주명리학이나 모든 점술학은 추리를 하여 운명을 예측하는 술수학으로서 추리력을 키우고 사유하는 능력을 배양시키는데 집중시켜야 한다. 7 카드 배열법에 따라 통변을 하지만 어느 정도 경지에 도달하면 메이저 카드나 핵심 카드로도 통변할 수 있고 배열법과 상관없이 자유자재로 추리할 수 있는 능력을 갖출 수 있다.

여기서 질문 내용을 잘 파악하여 상황을 분석하는 타로술사의 순발력에 따라 하수와 고수의 차이가 있다. 상담자의 현재 상황을 파악하지 못하고 배열법에 의한 타로카드 키워드로 단순하게 통변하면 삼천포로 빠져 타로가 맞지 않는다는 불신을 갖게 된다.

힘 카드는 장기적인 시간이 필요하고 두 사람 중에 한쪽이 희생과 포용하는 자세 없이는 이 관계는 유지할 수 없다. **펜타클 3의 연애운은** 오래 된 커플은 괜찮지만 설레임이 지난 상태(펜타클)로 지루한 사랑을 의미한다. 따라서 4개월 연애관계에서는 부정적인 측면이 많다. 여기서 상담 내담자가 집요하게 질문을 반복하면 다시 3장을 뽑아서 마무리 통변을 한다.

광대 : 그 남자의 마음
펜타클 에이스 : 다시 만날 수 있을까?
연인 : 다시 만난다면 결과가 어떨까?

남자의 마음은 광대카드로 마음이 떠났다고 볼 수 있으며 **여자는 펜타클 에이스로** 남자에 대한 결혼 집착이 강하다는 것을 알 수 있으며 아마 남자 조건이 좋다는 것도 파악할 수 있다.

만약 다시 만난다면 **연인 카드가 나온다면** 태양이 반쯤 비추고 두 남녀가 바라보는 모습이 다르고 또한 연인 카드는 결혼보다 연애로 끝날 수 있기 때문에 결국은 결혼까지는 불가능하다고 통변해야 한다.

[문 61] 둘째를 임신하려고 노력중이다 가능할까?

현재 34세로 첫째 임신은 어렵지 않았는데 둘째 임신이 잘 안되어서 병원에 다니고 한약까지 먹고 있다고 한다. 걱정이 많은데 가능할까?

절제 카드는 둘째를 임신하려는 모습이고 임신이 잘 안되어 답답한 상황인데 부정적인 측면으로 통변한다. **현재에 대한 모습은 운명의 수레바퀴와 소드 왕인데 운명의 수레바퀴는** 미완성으로 결과를 보지 못하고 시간이 걸린다는 의미이며 **소드 왕은** 신경이 예민해져 있고 임신하기 위해 나름 병원이나 전문가의 도움을 받고 있는 상태이다.

펜타클 4는 임신하기 위한 집착이 강하고 **완즈 8는** 마음이 들떠있는 상태이다. **문제점으로는 컵 10으로 판단하는데** 행복한 가정을 의미하고 자식이 2명으로 보이는데 둘째아이를 가지고 싶어하는 부모의 마음이 너무 강하다는 것이 나타난다.

조언(해결방안)으로는 소드 5이라 슬픔. 노력의 댓가가 따르지 않고 상처뿐인 승리를 나타내기 때문에 너무 조급하고 무리하게 서두르면 안된다는 조언을 해주어야 한다. 임신이 된다고 하더라도 자칫 잘못하면 유산할 수도 있어 조심해야 한다.

만약 **미래. 결과 카드가 펜타클 4. 완즈 8를 보고** 단순하게 빠른 시기에 임신이 된다고 해석을 해야 할지 말아야 할지 고민이 된다면 바로 추가로 3장을 뽑아 다시 통변해야 한다.

추가질문 :
악마 : 7, 8월
소드 소년 : 9. 10월
소드 6 : 11, 12월

7~10월(악마. 소드소년)에는 안좋고 **11월 이후에는 소드 6은** 지금까지 고생을 하였다면 조금씩 좋아진다는 의미이기 때문에 임신가능이 높다. 그렇지만 전반적으로 임신이 된다고 하더라도 불안한 모습이며 수술까지 고려해야 하며 유산을 항상 주의해야 한다.

[문 62] 내일 돈을 받을 수 있을까요?

과거 카드는 태양이다. 과거에 받아야 할 돈이고 사이가 너무 좋았다. **현재는 펜타클 9. 검 7 카드이다.** 현재 돈을 받을 수 있다고 생각하며 돈 때문에 힘들고 기다리면 돈은 들어오지만 상대가 돈줄 수 있는 능력이 부족하거나 아니면 욕심이 많고 비열하다. **미래는 힘 카드이다.** 시간이 걸리고 바로 돈 주지 않는다. 계속 재촉질 해야 한다.

결과는 펜타클 10이다. 늦게 받는다. **문제점은 소드 여왕이다.** 채무자라면 까칠한 여자이고 본인이라면 내것주고 못 받기 때문에 금전거래하면 안된다. **조언으로는 완즈 4 카드이다. 완즈는** 노력을 해야 하고 다른 사람을 통해서 돈을 받을 수 있다.

여기서 중요한 것은 질문 내용이다. 내일 돈을 받을 수 있겠는가? 와 아니면 이 사람에게 일부라도 돈을 받을 수 있겠는가? 라는 액수를 분명히 언급해야 한다. 지금까지 돈을 받지 못하여 속을 썩여 왔다면 내일 돈이 들어 올 수 있지만 그렇지 못한 경우라면 내일 돈을 받지 못할 수 있다.

상황에 따라서 결과카드가 좋아도 돈이 안 들어 올 수 있다. 이런 전후관계 파악이 어렵기 때문에 정.역방향으로 구별하지만 이것도 엉뚱한 해석이 되고 만다. 여기서 핵심 카드는 **힘 카드이다.** 처음에는 힘들고 나중에는 좋아진다는 의미가 있다.

이런 통변이 잘 정리가 되지 않으면 추가로 1장을 뽑아 ox를 결정해야 한다. 영기가 있는 분들은 바로 순간적 직감에 따라 단순한 통변을 해도 적중하는 경우가 많다. 심지어는 돈의 액수까지 맞추는 신기발로가 되지만 그 날 컨디션에 따라 말문이 막히면 엉뚱하고 말도 안되는 엉터리 통변을 한다.

[문 63] 13 카드 실전통변 (일년신수)

일년 신수는 정초에 보는 타로상담이다. 카드 13장으로 전반적으로 일년 종합 운세를 볼 수 있다. 월별 운세는 순서대로 1월부터 12월까지 보고 판단한다. 1~6번까지는 내적인 상황. 속마음. 가정을 의미하고 7~12번까지는 외적인 상황. 외부적. 사회적으로 보이는 것을 나타낸다. 해당사항에 좀더 구체적인 질문은 따로 3장 뽑아서 해석한다. 건강운은 건강 6번. 메이저 카드를 배합을 하여 헤석한다. 연인. 배우자운과 결혼. 가정운은 5번, 7번를 같이 보아야 한다.

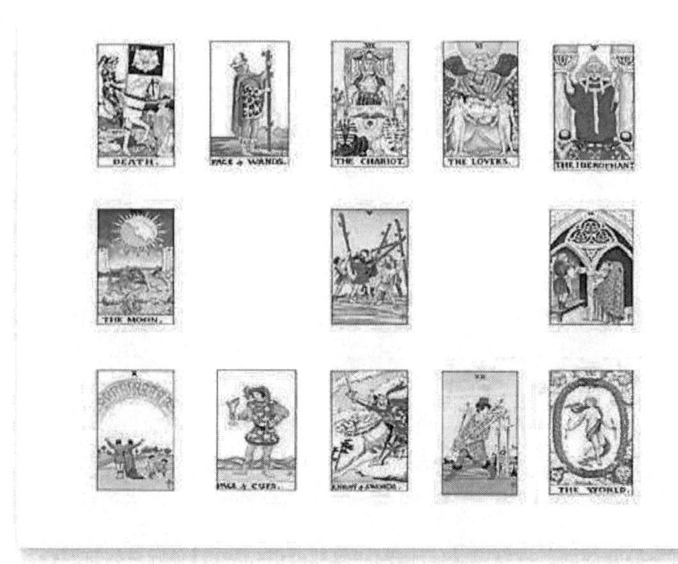

1. 현재: 달
-> 답답하고 고민이 많다.
2. 금전운: 컵 10
-> 올해는 금전운 좋다.
3. 자녀.형제운: 컵 소년

-> 임신할 수도 있고 결혼할 수 있는 자녀가 있다

4. 부모.시부모운: 검 기사

-> 시비. 걱정. 건강에 유의해야 하며 변동수가 있다.

5. 연인.배우자운: 검 7

-> 애인.배우자가 있다면 대화가 부족, 없다면 안생긴다.

6. 건강.여행.취미운: 세계

-> 해외여행갈 수 있고 건강문제 없다.

7. 결혼.가정운: 펜타클 3

-> 미혼자는 소개팅이 오고 기혼자는 가정이 나아지고 있다.

8. 대인관계: 교황

-> 서로 원만하고 편한 인간관계가 형성된다.

9. 직장.승진.합격운: 연인

-> 어느정도 노력하면 만족하고 승진.합격할 수 있다.

10. 상사와의 관계(직장인). 본인의 상황(사업가): 전차

-> 적극적으로 노력하고 활 동적이다.

11. 친구.교우관계: 완즈 소년

-> 새로운 친구가 생기고 좋은 소식이 온다.

12. 무의식: 죽음

-> 현재상황을 바꾸고 싶어한다. 전화위복

13. 총운: 완즈 5

-> 충돌. 시비. 의견다툼 조심해야하고 양보해야 한다.

1~6번까지는 내적인 상황. 속마음를 보는데 불안한 심정을 나타내고 7~12 **번까지는** 외적인 상황. 외부적으로 보이는 것으로 인정 받고 있는 모습이다.

[문 64] 7 카드 실전통변 (자식운)

젊은 주부로 보이는 여자분이 상담실에 내방하여 본인의 딸자식이 아역배우인데 앞으로 활동에 대해서 물어본다.

과거 컵 에이스를 보고 예체능에 소질이 있는 카드가 나와 이 자식은 배우로서 소질이 많군요. 그런데 **현재 모습(소드 8. 소드 5)은** 고민이 많은 카드가 나와 지금 자식이 힘든가요 물어보니 전혀 그렇지 않고 좋아서 활기가 넘친다고 하면서 타로상담에 불신하는 표정을 짓는다. 분명 현재 모습은 문제가 있다.

내년에 학교에 가야 하는데 학교생활에 대한 문제로 부모가 고민이 많은것이다. 이 자식은 학교에 입학하면 학교생활에 전념을 하고 배우생활은 잠시 쉬는게 좋다. 그렇지 않고 두 가지 병행하면 너무 힘들 수 있다. 분명한것은 나중에 성인이 되어서는 이 계통으로 성공할 수 있다. 현재는 학교 생활을 충실히 하는것이 좋다고 말했다.

그리고 내가 두 장을 뽑아 보니 아역배우 하는 것을 중단하지만 배우에 대한 미련을 벗지 못한 모습이 보이고 갈등하고 집착하는 모습이 나온다. 편안하고 진실한 마음으로 상담에 임하면 카드 자체가 명확하게 나온다. 그리고 아역배우로 왕성하게 활동하는 것보다는 정상적으로 공부하면서 연기자 생활을 보조해 가는 것이 순서일 것이다.

[문 65] 7 카드 실전 통변 (애정운)

두 여자분이 상담실로 들어왔다. 애정운을 봐 달라고 하면서 타로를 처음 보는데 잘 맞는냐고 물어본다. 매직 세븐 배열로 7장을 셔플해보니 남자 애인이 연하이냐고 물어 보았다. 같은 직장에 다니고 있으며 나이 차이 많은 연하이고 오랫동안 사귀고 있다고 하는데 요즘 관계가 안좋아져서 헤어질까 고민이라고 한다.

남자분이 당신을 바라보는 보는 마음은 (정의) 거의 식었고 사랑에 대한 감정보다는 이성적이고 현실적인 상황에 고민하고 있고 정리 할려는 생각을 하고 있다. **본인은 (소드 4)** 앞으로 남자의 모습과 행동에 신경이 예민해지고 우울증이 올 정도로 마음이 불안해지니 앞으로 새로운 마음으로 다시 시작하던가 아니면 관계를 확실히 끝내고 서로 새로운 갈 길을 가야 한다.

그러면서 2장을 뽑아보니 연인, 컵 소년카드가 나왔다. 현재까지 모습은 단순히 불륜관계를 넘어선 정신적, 육체적 사랑의 결합이었고 앞으로 미숙하지만 다시 시작할 수 있는 긍정의 카드가 나와 쉽게 끝낼 수 없는 불륜관계가 유지 될것으로 보인다. 이처럼 확실히 고민이 있는 애정운은 배열 자체가 정확히 나온다.

[문 66] 댄스학원을 운영한 지 10년정도 되었다. 앞으로 잘될 수 있을까?

현재 40대 중반 여자로 댄스학원 운영은 잘되고 있다. 하나 더 낼까도 고민 중이라고 한다.

40대 중반 여자분이 댄스무용학원 운영하고 있다는 것은 **여황(사업). 컵 에이스(예체능)를** 보고 알 수 있다. 그런데 현재 이동변화의 모습을 보이고 있는 것은 **완즈 기사**이다. 완즈 기사는 학원을 하나 더 확장하려고 움직이는 모습이다. 전반적으로 운영을 잘되고 있고 앞으로도 안정이 되어 있다고 보이는 것은 **컵 10이나 완즈 에이스**이다, 그러나 대박이 날 정도로 잘되고 있는 학원이 아니라는 것은 힘 카드를 보고 알 수 있다.

힘 카드는 좀더 노력을 하니 아마 인지도 보다는 재물적인 측면이 아직 만족 못하는 면이 있다. 그래서 누군가가 학원을 하나 더 권유할 수 있지만 고민을 해 봐야 한다. **(컵 2)** 전반적으로 학원운영은 나쁘지는 않지만 뭔가 부족한 부분이 있어 확장할 마음이 있다고 보여진다.

[추가질문]

1) 다른 곳에 하나 더 개원할까? : **교황**

2) 현재 성인반이 앞으로 잘될까? : **펜타클 3**

부가적으로 학원을 하나 더 개원하면 어떠하냐고 하면서 1장을 뽑으니 **교황 카드**가 나왔는데 준비가 철저히 되어 있어야 하고 **교황은** 금전운이나 사업운이 약하다고 통변할 수 있다. 성인반이 앞으로 잘될까 하고 물어 보아 **펜타클 3가** 나왔는데 팀웍이나 협력이 필요하고 현재는 금전운이 부족하지만 앞으로 점차적으로 좋아진다고 통변할 수 있다. 결론적으로 상담자는 현재 학원운영은 비교적 무난하지만 또 하나의 학원을 충원하여 조금 부족한 부분을 채울려는 의도가 있어 상담하러 온 고객인데 현재 운영하고 있는 학원을 더 신경 써야 하고 새롭게 학원을 내는 것은 현재 상태로는 무리가 된다고 리딩해야 한다.

[문 67] 13 카드 실전통변 일년신수(종합운)

1. **현재: 완즈 소년** -> 뭔가 새로운 시작을 할려고 한다.
2. **금전운: 검 여왕** -> 올해 금전운은 약하다.
3. **자녀.형제운: 검 기사** -> 자녀나 형제가 군대나 유학을 가거나 직장 이동 수가 있다.
4. **부모.시부모운: 컵 2** -> 부모덕 있다.
5. **연인.배우자운: 펜타클 소년** -> 미혼자는 새로운 연인을 만날려고 하고 기혼자는 새로운 시작을 해 볼려고 한다.
6. **건강.여행.취미운: 완즈 3** -> 해외여행 갈려고 한다.
7. **결혼.가정운: 완즈 5** -> 갈등이 있고 주변사람들과 마찰이 있다.
8. **대인관계: 검 8** -> 대인관계에 소통이 안되고 있다.
9. **직장.승진.합격운: 컵 소년** -> 무난하다.
10. **상사와의 관계(직장인). 본인의 상황(사업가): 완즈 7**-> 버겁고 힘들 수

있다.

11. **친구.교우관계: 검 에이스** -> 노력을 해야 관계 유지할 수 있다.

12. **무의식: 컵 여왕** -> 포용력은 있지만 속을 알 수 없고 모성애는 있다.

13. **총운: 완즈 여왕** -> 열정적이고 활동적인 한해가 된다.

* **월별 운세는** 순서대로 1월부터 12월까지 보고 판단한다.

* **1 ~ 6번**: 내적인 상황. 속마음. 가정

* **7 ~ 12번**: 외적인 상황. 외부적으로 보이는 것. 사회

* 파생된 질문은 **추가로 3장** 뽑는다.

* **연인. 배우자운과 결혼. 가정운은** 같이 보아야 한다.

* **건강은** 메이저 카드와 6번을 배합하여 통변한다.

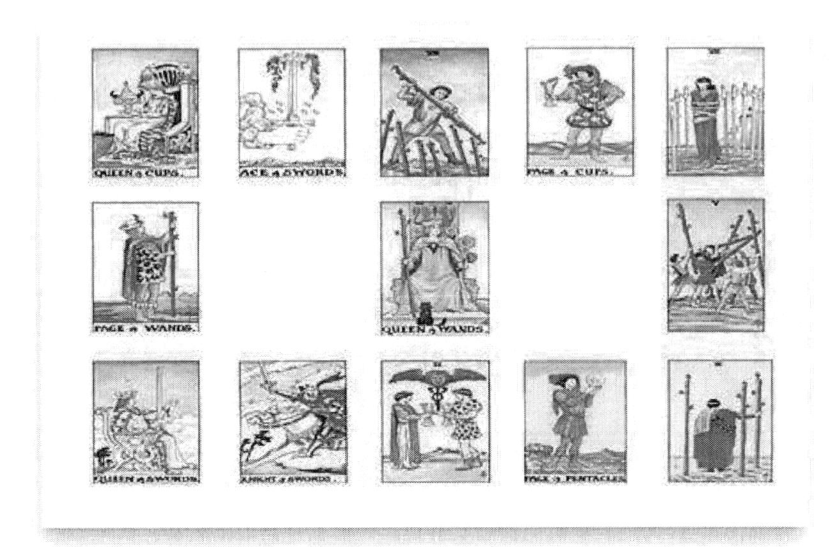

1 ~ 12번: **월별 통변 (양력 기준)**

1월: 새로운 시작을 한다.

2월: 짜증이 나고 건강에 유의해야 한다.

3월: 갑작스런 이동 변동수가 있다.

4월: 연인이 생기거나 기쁜일이 생긴다.

5월: 금전이 들어오거나 뭔가 시작하는 운이다.

6월: 해외를 나가거나 집을 떠날일이 생긴다.

7월: 움직이면 탈나고 구설시비 조심해야 한다.

8월: 7.8월은 아주 조심해야한다. 경거망동해서는 안된다.

9월: 마음이 편안해지고 새로워진다.

10월: 주변 상황을 극복하고 노력한다.

11월: 힘든상황을 이겨내고 결과가 좋다.

12월: 확실한 성취는 하지만 뭔가 우울하다.

이런 식으로 각자의 환경(학생.직장인.사업가)에 따라 통변이 달라질 수 있다. 결과(총운)가 좋으면 긍정적인 월통변을 한다.

@ 금전에서 대해서 추가질문을 하면 추가로 3장을 뽑는다.

@ **지인에게 금전 도움 받을 수 있는지요?**

* **현재상황: 태양** -> 친한 지인이 금전 도움 줄 수 있다.

* **진행: 고위 여사제** -> 금전 어려움이 발생한다.

* **결과: 펜타클 3** -> 받긴 받지만 시간이 걸릴 수 있고 아니면 기대만큼 금전이 크지 않다.

[문 68] 커플 궁합 (결혼) 10 카드 실전통변

현재 2개월 사귄 남친 애인이 있다. 이 남친과 결혼해서 잘 살 수 있는가 궁금하다고 한다. 한 사람이 보면 10장을 뽑고 두 사람 커플이 보면 각자 5장씩 뽑는다. 10 카드 배열은 결혼을 전제로 궁합을 볼 때 참고한다.

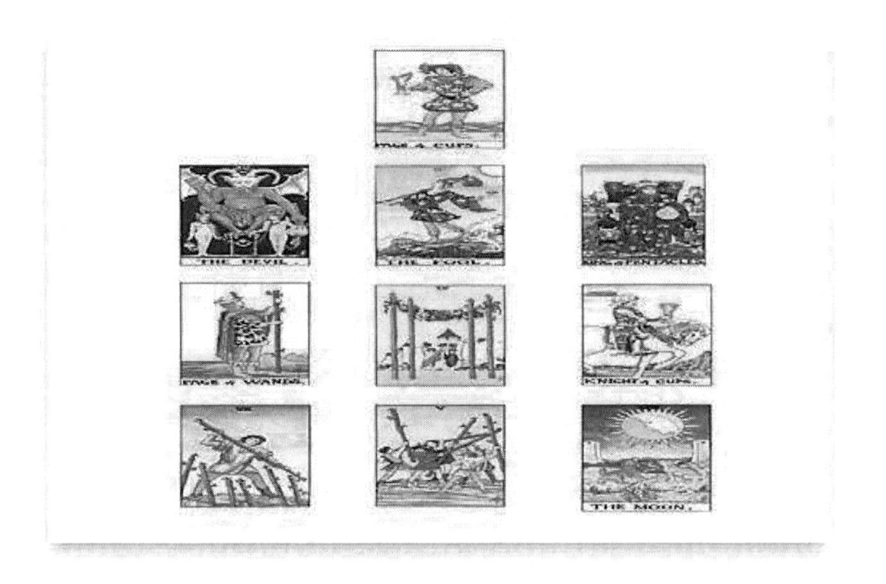

1. **그는 나만을 사랑하는가: 컵 소년**
   사랑이 시작되었고 임신할 수도 있고 결혼 생각을 하고 있는 것은 아니다. (악마)
2. **나는 그를 믿고 있는가: 펜타클 왕**
   여자는 현실적이고 그를 믿고 있다. 조건이 좋다.
3. **현재 궁합: 광대**
   궁합은 불안정하고 급하다. 용두사미가 된다.
4. **그는 나를 믿고 있는가: 악마**
   겉과 속이 다른 문제가 있고 바람피울 수 있다.

5. 그는 바람기가 있는가: 컵 기사

매너가 좋아 바람기가 있다.

6. 나는 그를 경제적으로 믿는 마음: 완즈 4

그를 경제적으로 믿고 있다.

7. 결혼: 완즈 소년

미숙하다. 결혼까지는 약하다.

8. 결혼 후 서로 경제적으로나 정신적으로 만족하는가: 달

서로에 대한 믿음이 부족하고 불안하다.

9. 자녀 문제: 완즈 5

자녀문제가 있고 갈등이 심하다.

10. 결론: 완즈 7

주변 여건 때문에 버겁고 힘들다.

완즈가 많아 의욕은 넘치지만 메이저 카드가 **바보(광대). 달. 악마라** 정신적으로 힘들다. 그러나 남자쪽의 조건이 좋아 쉽게 포기하지 못하고 있다. **7번 결혼과 10번 결과가** 안좋으면 결혼해서는 안 된다. 결혼 후에도 정신적 고통이 엄청 따른다. 두 사람이나 양쪽 집안의 분위기는 서로 맞지 않으니 상견례를 미루어야 한다고 결론을 내리고 최종적인 결혼유무 선택은 상담내담자가 결정 하도록 해야 한다.

커플이 같이 와서 상담받는 경우는 궁합이 안 좋다고 상담하면 안된다. 연애를 1년 이상을 하고 결혼을 결정해야 한다고 설명하고 더 깊은 상담을 원하면 나중에 각자 따로 오셔서 상담 받으시라고 해야 한다. 그렇지 않고 보이는 대로 설명하면 얼마 못가서 커플이 깨지는 경우가 많다. 따라서 궁합은 될 수 있으면 혼자 와서 상담을 받는 것이 현명하다.

[문 69] 일년 신수 (전체운)

20대 후반 직장인 여자분(미혼)인데 올해 일년 신수를 전체적으로 어떤지 궁금하다고 한다.

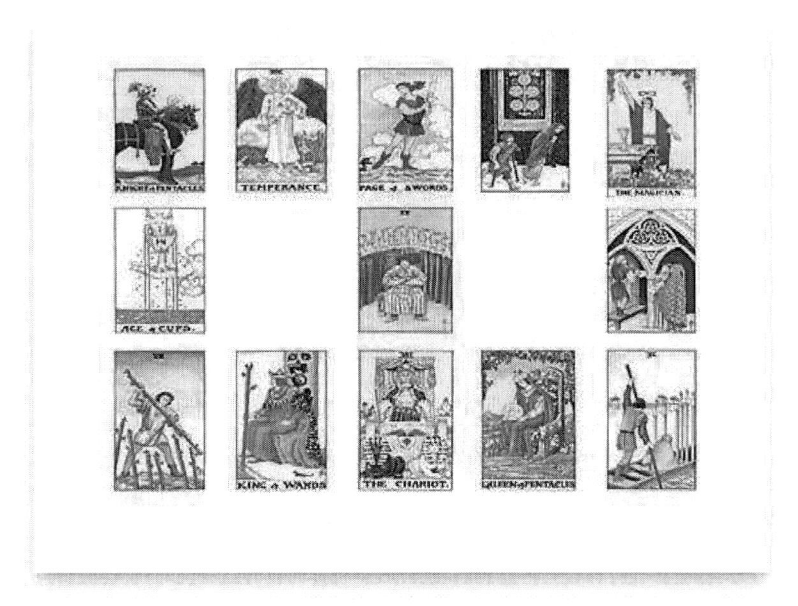

현재의 모습은 사랑과 감정이 올해부터는 새로운 시작을 할려는 상태이다. **올해 금전적으로는** 버겁고 힘들지만 본인이 스스로 만들어 가고 있으니 스스로 지출을 줄이고 관리를 잘해야 한다. **형제와의 관계는** 동생 1분이 있다고 하셨는데 본인보다 더 어른스럽고 안정적이며 책임감이 강하니 문제 없다.

부모와의 관계는 메이저 카드라 의미가 있다. 긍정적으로 볼 수도 있고 부정적으로 볼 수 있는데 상담을 해보니 부정적인 요소가 많아 별도로 부모와의 관계는 다시 카드를 뽑아 상담해야 한다. **연애와 결혼은** 아직 애인이 없는데 안정적인 남자를 선호하며 본인도 현모양처형 스타일이며 편안하게 만나는 것을 좋아한다. 직장내에 남자가 있고 소개팅으로 만날 수 있다고 했는데 끌리는 남자가 직장 내에 현재 있는데 직장동료들은 반대 한다고 한다.

건강은 지금까지 안좋았다면 서서히 회복할 수 있으며 아니면 신경을 써야 하는데 주로 두통, 운동부족, 생리불순, 자궁 등을 잘 관리해야 한다. **취미나 여행**은 올해 어딘가로 취미생활이나 여행을 갈 수 있지만 너무 무리하면 안 된다. **대인관계는** 나에게 멘토역할이나 정신적으로 교감을 가질 수 있는 분이 계시니 어려울때 도움을 받을 수 있다. **승진은** 지금까지 자꾸 후배에게 밀려서 승진하지 못했는데 올해도 본인 자신의 문제점을 바꾸지 않으면 힘들다. **상사와의 관계도** 스트레스를 받고 있으며 예민하다. 그래서 좀더 직장생활에 더 신경을 써야 한다.

친구,교우관계는 너무 좋다. 서로 같이 여행도 가고 도움을 주려는 따뜻한 친구가 있다. **현재 본인의 무의식은** 스스로 자신을 과소평가 하고 있으며 자신감이 많이 떨어져 있다. 성실하고 안정적이며 시키는 일을 잘 할수 있지만 승진을 해서 관리자로서의 리더십이 부족하다고 본인의 무의식이 잠재되어 있다.

총운은 올해 당신은 대인관계도 좋고 충분히 이 계통에서 능력을 발휘할 수 있는데도 자신감이 떨어져 있으니 본인 스스로 자부심을 가지면 올해 결과는 만족할 만한 한 해가 될 것이다.

[문 70] 9 카드 실전 통변 (애정운)

20대 초반 여자분이 현재 군대가 있는 남자친구와 앞으로 애정운에 대해서 문의하였다. 상담자가 뽑은 7 카드 배열에 타로술사가 2장을 더 뽑아 9장으로 전체적으로 통변한다.

지금 사귀고 있는 애인은 깨졌다가 다시 만나지 않았냐고 하니 그랬다고 한다.(**심판**) 상대는 본인을 사랑하고 있고 당당하고 힘든 모습은 전혀 없다.(**완즈 왕**) 본인 당신은 마음이 힘들고 불안하며 화가 나 있다. (**매달린 사람**) 또 다른 이성이 다가왔지만, 본인은 현재 이 남자를 좋아하기 때문에 선뜻 다른 남자의 구애를 받아들이지 않는다. (**절제.**)

현재 애인이 군대에 가 있는데 남자친구가 연락이 잘되지 않는다고 싸워서 헤어지자고 했는데(**소드 소년**) 일주일 만에 아무렇지도 않게 남자친구가 화해를 했다고 한다. **(완즈 왕)** 받아들였지만 마음이 편치 않다고 한다. 남자친구가 곧 휴가를 나올 것 같은데 어떻게 해야 하냐고 물어본다. 본인이 남자친구에게 먼저 연락을 해주고 정신적으로 의지하는 모습을 보여주면 남자친구가 더 애정이 살아날 수 있으니, 남자친구가 이해 해주기를 바라기 전에 본인이 먼저 다가서서 관심을 두면 더 열정적인 관계로 갈 수 있다. 아직은 두 사람이 사랑의 완성을 위해 더 진행하는 과정이고 시작하는 단계이기 때문에 남자친구가 8월에 제대하기 전까지는 기대를 크게 하지 말고 서로를 위해 노력하는 모습을 보여주어야 합니다. **(절제)**

타로 리더가 뽑은 카드는 **고위 여사제와 완즈 2가 나왔다.** 현재 이 질문자의 모습은 **고위 여사제**가 되는데 이 카드의 해석은 두 가지로 나올 수가 있는데 오로지 한 남자만 집착할 때도 나오지만 또 다른 측면으로는 속은 알 수 없는 이중성으로 또 다른 남자를 염두에 두고 삼각관계를 유지하는 비밀연애를 할 수 있다. 따라서 그때 그때 감정에 따라 불안정한 모습이 될 수 있다.

완즈 2는 군대간 남자의 모습이다. 아직 두 사람의 관계는 깨지지 않고 유지되고 있는 모습이다. 그리고 여자를 자신의 방식으로 끌고 가는 성향을 지니고 있다. 따라서 여자의 희생적 마음이 필요하고 다음에 두 번째로 또 깨진다면 이제는 완전한 이별수가 된다.

[문 71] 20대 후반 여성분이 남친이 있는데 앞으로 애정운은?

현재 남자의 마음은 애정적으로 밝지가 않다. **(은둔자)** 당신도 지금 고민이 많고 냉정한 모습이 나와 현실적으로 문제가 있다. **(정의)** 그렇다고 한다. 서로 알고 지낸지 2년 정도 되다가 사귀였는데 남자가 사귀기 전에는 일을 하지 않아 시간적 여유가 있었는데 사귀자 마자 취직을 해서 일이 바쁘고 자주 만나지도 않아 **(완즈 3)** 남자 애인은 항상 미안하다고 하지만 본인은 깨져야 할지 고민이 많다고 한다.

그렇지만 현재 당신 마음은 이해를 하려는 긍정적인 마음도 있기 때문에 쉽게 이별을 못한다. **(교황)** 하지만 남자가 앞으로 이 관계를 포기를 할 수도 있다. **(컵 8)** 그러기 때문에 현재 당신이 이 남자에게 사랑하는 진실한 마음을 표현하여 당분간은 포용하는 자세로 나오면 서로 신뢰감이 생길 것이다.

(교황)

그리고 이 관계를 빨리 개선 회복하고 싶다면 조만간에 서로 결혼에 대해서 진지한 의논을 해야 한다. **(펜타클** 10) 남자의 현재 환경은 계속 일이 바빠져 애정에 충실하기도 힘들고 남자 자체 성향도 여자를 잘 리더해 가는 애정표현도 서툴기 때문이다. 그러니 하루 빨리 결혼으로 가는 현실적인 교제로 가야 서로 안정감이 생기고 신뢰감이 생길 것이다.

타로술사가 뽑은 2장을 보니 **달 카드는** 현재 상황이 근심, 걱정, 불안한 상태가 그대로 나와 있다. 결과는 **컵 10으로** 무조건 긍정적으로 해석해서는 안된다. 달의 부정적 측면으로 받아들인다면 **컵 10은** 부정적 측면으로 두 사람의 애정은 깨지는 것으로 나타나지만 긍정적 측면으로 현재 두 사람의 교제를 결혼으로 전환시키면 애정이 살아날 수 있다. 이처럼 타로리딩의 목적은 질문자의 상황에 맞추어 양면성을 비추어 합리적으로 조언 해주는 데 진정한 의미가 있는 것이지 무조건 이별이나 아니냐의 가부 결정을 목적으로 단언 지어서는 안 되는 것이다.

[문 72] 9 카드 실전 통변 (애정운)

20대 후반 여자가 현재 애인이 있는데 앞으로 애정운이 어떻게 될 것인가에 대해서 물어본다.

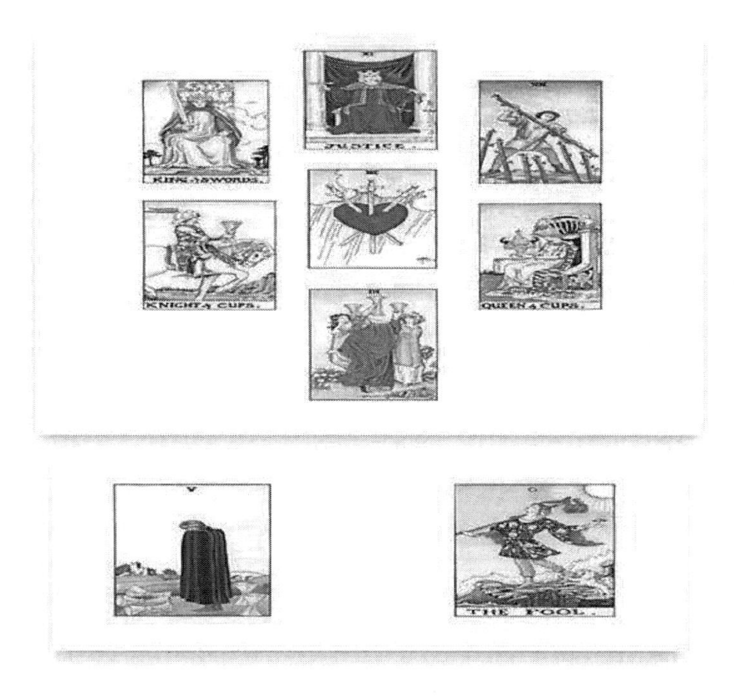

과거 애인과 사랑에 대한 감정보다는 이성적인 냉정한 모습을 보고 과거 크게 싸우거나 헤어진 적이 없냐고 물어보니 결혼문제로 헤어진 적이 있다고 한다. **(정의)** 현재 여자분이 남자에게 사랑을 받고 있지만 서로 속마음은 편안하지 않는다.**(컵 여왕)** 이러지도 저러지도 모르는 관계이고 앞으로 희망보다는 불안한 마음이 많다고 하니 **(컵 5)** 이 여자분 말씀이 현재 남자가 일편단심 잘해주고 있다고 하면서 지금은 좋다고 한다. **(컵 여왕)**

과거에 남자가 결혼하자고 했는데 여자는 아직 결혼할 마음이 없어 헤어졌다고 한다. 그러면 지금 당신은 이 남자분과 결혼 할 마음이 있냐고 물어보니 없다고 한다. 결국 내가 말한 내용이 맞다. 앞으로 남자가 불안한 마음으로 청혼할 것이고 **(컵 기사)** 결혼에 대한 문제로 서로 갈등이 생길 것이며 이번에는 결혼하지 않으면 완전히 이별할 수 있다고 했다. **(소드 3)** 아마 몇 개월 안에 이별할 수 있다고 했다.

이 여자보다는 남자가 더 사랑은 하지만 속마음은 많이 힘들고**(소드 왕)** 이 여자분은 뭔가 속마음은 감춰진 상태이며**(컵 여왕)** 결국은 결과 카드가 이별로 종결지어진다. **(소드 3. 광대)** 타로술사가 뽑은 2장의 카드를 현재 상황과 결과로 해석하면서 질문자가 뽑은 7장 배열과 서로 비교해 가면서 통변하면 확실하게 해답이 나온다.

[문 73] 현재 남자친구가 문제가 있는데 잘 해결될 수 있는지요?

젊은 여자가 상담실에 내방하여 애정 관계도 아니고 구체적으로 질문 없이 현재 남자친구의 상황에 대해서 결과를 묻는다. 질문이 구체적으로 나오지 않으면 거기에 대한 카드 배열도 두리뭉실하게 막연하게 나온다.

현재 남자의 모습을 보니 상당히 심적인 상태가 안 좋다. 심한 풍랑을 맞아 힘들게 보이는데요? (**소드** 6) 하니까 이제서야 사실 남자친구가 검찰에 송치되어 조사받고 있다고 한다. 대출 브로커로 사기죄로 검찰에 들어 갔는데 (**소드 왕**) 앞으로 바로 나올 수 있느냐고 물어본다.

사기꾼은 **마법사이고** 금액이 크지 않고 해결 가능하다는 것은 **완즈 소년으로** 알 수 있다. 과거 모습을 보니 합의가 안되고 있다고 하니 (**컵** 4) 고소인이 보상금을 피해 금액보다 더 달라고 한다고 한다.(**펜타클** 10)

가족들이 나서서 금전문제만 해결되면 바로 나올 수 있다고 했다.(**펜타클** 10) 지금 남자친구 혼자가 아니라 여러 사람이 연루가 되여 있다고 한다. (**펜타클** 10)

미래의 모습을 보니 무거운 짐을 벗어 버리고 자유롭게 돌아온 모습이 보이고 당신 품에 안기는 모습이 보여 바로 나올 수 있다고 했다. (**광대**) 결국 해결 방안에서 보면 금전 문제로 합의만 이루어지면 쉽게 해결되어진다. (**펜타클** 10. **완즈 소년**)

[문 74] 20대 후반 여성분이 현재 애인이 없는데 앞으로 연애운이 있는지요?

현재 사귀는 사람이 없는 상태에서 현재의 모습은 사랑의 **절제 카드가** 나와 새로운 애정에 대한 불안정한 모습이고 문제는 새로운 애정에 대한 시작이 안되고 있다. 그 이유는 과거 애정이 강하게 살아 있고 아직도 옛 사랑에 대한 아쉬움과 미련이 남아 있기 때문이다.(**컵 기사. 절제. 완즈** 2. **컵** 2)

앞으로 애정이 바로 들어 올 수 있지만 현실적이고 진지한 결혼의 상대를 찾아야 하며 (**여황**) 과거를 빨리 잊어 버리고 새로운 애정을 추구 하려는 변화된 의식을 강하게 두어야 한다고 하니(**완즈** 8. **죽음**) 질문자 말씀이 과거에 너무 사랑했고 좋아했던 남자가 있었는데 현재는 그 남자에게 여자가 있다고 한다.

이별 후 곧 바로 새로운 다른 남자를 만났지만 자기를 너무 사랑해 주었고 결혼을 하고 싶어 했지만 **(컵 기사)** 본인이 결혼에 대한 확신이 없어 또 이별을 했다고 한다. **(완즈 에이스. 심판)** 여기서 중요한 점은 **결과 카드에 죽음 카드와 심판 카드의 통변 리딩에 달려 있다.** 이 여자의 문제점은 과거 남자와의 재결합에 대한 심리가 강하고 새로운 남자를 받아드리는 열정적인 자세가 부족하다. **(완즈 에이스)**

2장의 카드 배열에서 **심판은** 부정적인 측면으로 해석해야 한다. 왜냐하면 **죽음 카드**는 새로운 시작을 위한 파격적인 변신만이 해결할 수 있기 때문이다. 과거 연인을 잊기 위해서 새로운 남자를 찾아야 한다는 심리는 있지만 과거연인과 비교를 하면서 자신이 새로운 남자에게 빠질 수 있는 상대를 찾고 싶다면 스스로 과감히 열정적인 행동으로 적극적으로 임해야 하는데 그런 점이 부족하다.

[문 75] 현재 직장을 새로운 업종으로 바뀌려고 하는 데 어떤지요?

현재 새로운 시작을 하려는 마음이 강하고 마음이 떠 있다. **(광대)** 아마 여자들이 하는 손기술을 하는 직업인것 같다. **(컵 에이스)** 당신은 현실적이고 꼼꼼하며 매사에 조심성이 있는 분이다.**(정의)** 현재 신중히 생각하는 모습이 강하다. 하지만 바로 결과를 보는 직업은 아니고 당분간은 힘들 수 있다. 라고 대답해 주니 질문자가 현재 상황을 말한다.

지금 남편과 같이 인테리어를 하는데 너무 육체적으로 힘들다고 한다. (**소드 4**) 본인이 쉴 수도 있는 상황이 안되고 돈을 벌어야 할 입장이라고 한다. 그런데 지금 하고 싶은것은 네일아트를 배워서 직업을 바꾸어 볼 려고 하는데 남편이 반대할 것 같다고 한다. 그런 고민때문에 타로 상담하러 왔다고 말한다.

네일기술을 배워도 당분간은 급여가 너무 적어 고민이라고 한다. 타로배열에서 **메이저 카드를 보면** 본인의 성향이 나온다. 너무 신중하여 결정을 못한다. 전에도 여러번 고민하다고 포기하였지만 현재 상황을 포기하고 새로운 직업에 대한 도전이 부족하다.

물론 미래카드로 보면 당분간은 돈은 안되지만(**소드 4**) 미래는 당신이 창업을 할 수도 있고 기술도 좋아 인정을 받을 수 있다.(**펜타클 왕**) 과감하게 행동으로 추진하는 자세를 갖추어야 한다.(**전차**)

[문 76] 40대 여자분으로 현재 만나는 남자가 있는데 앞으로 그 남자와의 애정운은 어떠한지요?

지금까지 남자와의 관계가 이제는 마지막 한계가 오고 있다.**(소드 10)** 본인은 남자를 향하는 마음이 불안하고 깨질까봐 속이 상하고 힘들어 하고 있다.**(소드5)** 이 남자는 요즘 심적인 변화가 많이 일어났고 환경적인 변화도 일어나 **(완즈 8)** 당신에게 향하는 마음이 소극적으로 보일 수 있다고 하니 **(펜타클 기사)** 자신은 이 남자와 오랫동안 연인관계로 두 사이는 누구에게도 밝힐 수 있는 관계가 아니고 알게 된다면 주변사람들이 상처를 크게 받

는다고 한다.(소드 5. 소드 3)

최근 들어 이 남자의 자기를 바라보는 눈빛이 달라졌다고 한다. 남자보다는 본인이 괴로워하고 헤어지지 못하는 심정이다. 결국 결과는 이 관계가 들통이 날 수도 있고 제삼자의 개입으로 이별할 수 있다고 했다.**(펜타클 3. 소드 소년)** 여자는 남자와 헤어질까, 봐 괴로워하고 불안하며 자신이 없어 하는 마음이 강렬했다. 현재 이 남자의 상황이 직업적인 변화가 일어나 있고 주변 여자들에게 인기가 있는 남자라고 한다. 심지어는 이 관계를 모르는 자기 친구가 이 남자를 좋아한다고 한다.

배열법에서 **소드 카드가 많이 보인다는 것은** 그만큼 이 두 사람의 애정은 고민이 많고 순탄치 않다는 것을 알 수 있다. 서로 주변사람들과 연결이 되어 잘 아는 사이에서 아무도 모르게 두 사람이 사귀고 있는데 이 사실을 지인들이 알게 되면 구설 시비가 발생해 고민이 많은 것이다. 거기에 남자가 이 여자를 향한 애정이 강하지 못하고 확신이 없으니 해결 방안으로는 두 분이 앞으로 관계를 유지하기에는 어려움이 많기 때문에 서로 목적을 향해서 이 관계를 유지하는 마음을 가져야 하고 그렇지 못하면 하루 발리 이 관계를 청산하는 변화된 모습을 가져야 한다. **(소드 기사)**

[문 77] 어제 처음 만나는 남자가 있었는데 연락이 올 까요?

20대 여성이 찾아와서 어제 처음 만난 남자가 마음에 드는데 이 남자가 자기에게 연락이 올 수 있는지 궁금하다고 한다.

현재 두 사람의 모습은 불안. 걱정. 갈등. 신중하는 모습이 보인다. 남자는 고민하는 모습이 보이고 본인은 마음에 드는데 이러지도 못하고 남자가 자기를 마음 안 들어 할까 봐 불안한 상태이다. 어제 처음 만났을 때 너무 자유스럽게 상대를 대했고 조급한 마음으로 남자를 힘들게 한다.

그러니 이 여자분 말씀이 남자가 계속 만나고 싶다고 해서 어제 처음 만났는데 만나보니 기대 이상으로 남자가 마음에 들었다고 한다. 그리고 성급하게 본인이 술을 먹고 싶다고 해서 술을 먹고 남자를 상당히 피곤하게 했다고 한다.

현재 카드로 그 상황이 그대로 나왔다. 과거에는 이 여자를 만나고 싶어하는 남자의 마음이 나왔고 **(완즈 2)** 현재는 신중하게 여자를 지켜보는 모습이 나와 있다.**(펜타클 7)** 조만간에 서로 연락을 할 수 있고 사귈 수 있지만 오래가기가 쉽지 않다.

결과카드가 **(소드 왕)** 사랑에 대한 긍정적인 감정보다는 냉정하고 이성적인 감정이 앞서 싸울 수 있고 서로 정신적인 코드가 안 맞아 바로 깨질 수 있다. 이 애정운에 메이저 카드가 **광대와 태양카드는** 나왔다. 부정적인 의미로는 철없는 사람. 가벼운 사랑으로 서로 포용해주고 감싸주는 사랑의 깊이가 약하다.

2장의 배열에서 **소드 왕**을 보고 7장의 배열을 전체적으로 분석해야 한다. 단순히 7 카드 배열에서 결과 카드인 **컵 기사를 보고** 긍정적으로 프로포즈하는 남자의 모습으로만 해석해서는 안된다.

전후관계를 따져 보면 남자의 기대 밖의 실망으로 여자를 쳐다보기 때문에 사귀더라도 순탄치 않음을 알 수 있다. 따라서 무조건 사귈 수 있느냐 없느냐의 가부 결정만 따지는 것보다는 전체적인 두 사람의 상황을 설명하고 결과에 대한 예측을 포괄적으로 설명해주어야 한다.

하지만 실전상담 현장에서는 이런 심리적 상태를 분석하는 통변보다는 단순히 OX로 대답해주기를 원하는 단순한 손님들이 상당히 많다. 그렇다고 우리 정서에 너무 맞지 않는 심리적 접근분석 방식위주 타로상담도 문제가 있다.

따라서 타로카드의 기본핵심을 응용하여 현실적으로 우리 정서에 맞는 타로상담방식을 추구해야 한다. 그러나 서양에서 들어오는 타로점술기법을 무조건 따르고 지키는 것이 정법이라고 외치면서 해박한 타로지식을 추구하는 타로학인도 있다.

[문 78] 40대 여성분이 현재 두 번 만나고 있는 남자가 있는데 어떤지요?

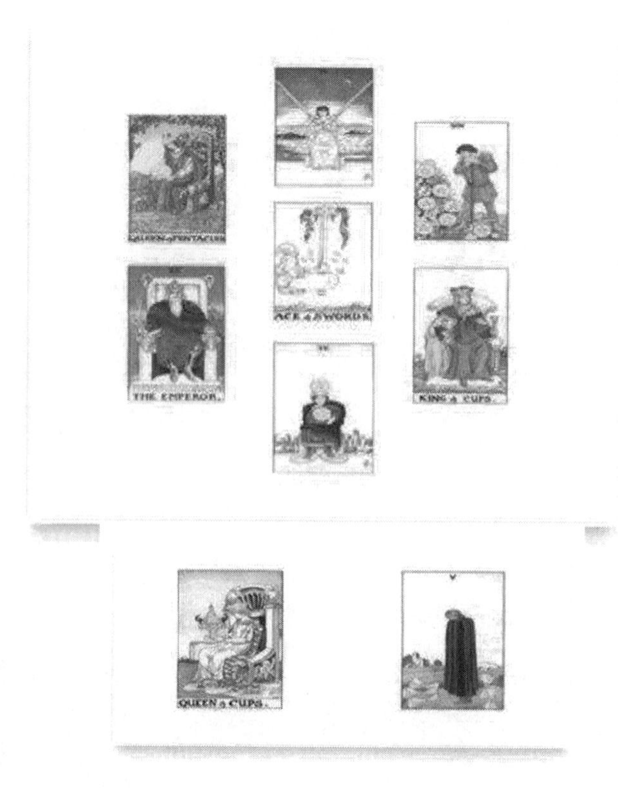

과거 모습을 보니 당신이 갈등하고 있는 모습이다. **(소드 2)** 현재 남자는 여자를 어루만져 줄 수 있는 감성이 부족하지만 당신을 결혼할 여자로서는 만족한다. **(펜타클 여왕)** 하지만 본인은 이 남자에 대한 애정의 느낌이 별로 없지만 아주 싫어하는 모습이 아니라고 하니 현재 만나는 남자가 나이가 더 들어 보이고 도대체 신뢰성이 가지 않는다고 한다. **(컵 왕)**

남자가 어떤 성향을 갖고 있느냐고 물어 본다. 남자의 성향은 자기 주관 분명하고 책임감은 있으나 여자를 다루는 섬세한 부분은 떨어진다.**(황제)** 현재 두 사람 나이가 있어 결혼을 전제로 소개를 받았으나 너무 진지하게 대하는 것보다 편안하게 몇 번 더 만나 보시는 것이 좋겠다.

분명 남자는 당신에게 호감을 가지고 있지만 애정표현 방식이나 나이가 더 들어 보이는 모습때문에 당신에게 어필하는 부분이 부족한 것 같다. 서로 상대에 대한 인식을 자기 입장에서만 바라보지 마시고 좀 더 긍정적이며 현실적으로 결혼에 대한 생각을 서로 맞추어 가야 노력을 해야 한다.

결과 카드 2장으로 보면(**소드 에이스. 컵 5**) 결혼은 순탄하지 않다. 두 분 모두 노력하는 의지와 적극적인 자세가 없으면 쉽지가 않다. 그 점 이해하시고 마음을 낮추는 자세로 몇 번 만나 보시고 판단하시길 바란다. 나이 들어 두 사람의 만남은 결혼을 전제로 만난다고 하지만 이 두 사람은 확실한 애정에 대한 감성이 부족하다. 여자는 속마음을 내 비칠지 못하고 남자는 여자를 잘 다루는 스타일이 안된다. 각자가 상대방을 위해서 마음을 문을 열려야 하고 포용하는 자세가 부족하다.

[문 79] 50대 여성분이 앞으로 재물운이 어떤지요?

50대 여성분이 상담실을 내방하여 앞으로 재물운이 있는지 궁금하다면서 간단하게만 질문을 하면서 타로카드 7장을 뽑았다.

현재 직장생활을 한다면 꾸준히 돈이 들어오고 있으며(**펜타클** 7) 과거부터 지금까지 재물운은 있다.(**황제. 컵 여왕**) 하지만 재물에 대한 고민거리가 상당히 안 좋은쪽으로 자리잡고 있다.(**악마**) 앞으로 재물운은 크지 않다.(**컵** 8) 현상유지로 나가야 한다. 그렇지 않고 월급에 만족하지 않고 투잡을 하게 되면 마음 고생 많이 할 수 있다고 하니... 이 여성분 말씀이 앞으로 지인과 동업으로(**전차.악마**) 호프집을 (**컵**) 하려는 계획을 갖고 있다고 한다.(**전차**)

그리고 본인 직업이 금융업에 종사하여 안정된 직장이지만(**황제**) 친정 식구들이 과거에 돈을 부탁해 스트레스가 이만저만 아니라고 한다. 지금도 친정

집에서 전화오는 것조차 불안하다고 한다.(**컵 여왕. 악마. 소드 5**)

앞으로 금전에 관해서는 주변 사람들과 좀더 이성적이고 냉정해야 한다.(**소드 5**) 동업은 안되고 주어진 현실에 만족하면서 앞으로 노후대책으로 확실하고 안정적인 재테크를 하는데 고민을 많이 해야 한다.(**컵 8. 소드 5**)

지인과 동업으로 호프집을 하는데 불안심리가 강한데 문제점에 **악마 카드가** 나왔다는 것이고 앞으로 동업을 추진하는 모습이 **전차 카드로** 시작을 할 수 있지만 결과가 서로 동업자끼리 문제가 생길 수 있다는 컵 여왕에서부터 시작이 된다.

상대를 신뢰하지 못하고 의심과 금전에 대한 불안심리로 인하여 본인에게는 동업자체가 맞지 않는다. 단순히 지인의 호프집 경험을 토대로 같이 돈을 투자하여 개업을 한다는 것이 무리라고 본다.

그리고 **문제점으로 악마는** 돈에 대한 욕심이 먼저 앞서 집착이 강하여 현실적인 판단을 못하고 있는데 본래 이 여자의 성향은 상대를 믿지 못하고 자기방식으로 밀고 나가는 스타일이라 동업자체가 맞지 않다는 것은 **컵 성향과 황제 카드로** 알 수 있다.

[문 80] 앞으로 남편과의 애정운이 어떻게 될까요?

30대 젊은 여성분이 찾아와 앞으로 부부 애정운이 궁금하다고 한다. 이런 질문은 현재 부부간의 갈등 고민이 있는 경우가 대부분이다.

남편분은 책임감이 강하시고 직장생활을 잘하시는데 부인에게 향하는 애정 표현이 부족하다.**(교황)** 당신은 남편에게 짜증이 나고 예민해져 있는 것 같다고 하니**(소드 에이스)** 이 여성분 말씀이 결혼 6년차인데 남편은 직장을 다니는데 늦게 들어오고 자기 혼자 애 보면서 혼자 있는 시간이 많아 사는 것이 재미가 없다고 한다. 그래서 밖에 나가서 놀고 싶다고 한다. 혹시 과거 결혼 전에 남편과 연애할 때 다른 남자를 만나 바람 핀 적이 있지 않는냐고 하니 남편과 5년 연애하는 동안 남편 모르게 바람을 피웠고 많이 놀았다고 한다.**(완즈 3. 컵 왕)**

지금 당신은 과거 놀았던 생각이 나고 현재 나가서 놀고 싶은 마음이 간절하다. 자칫 잘못하면 바람이 날 수 있으니 조심해야 한다.(**악마. 컵 8**) 현재 남편분과 연애했던 시절을 다시 상기시키면서 분위기를 잡아야 한다. 남편분은 현실적으로는 열심히 성실하게 살아가나 부인에 대한 애정표현이 부족한 것 같다.(**완즈 3. 컵 왕**) 그렇지 않고 밖에 나가 처녀 시절 즐거웠던 모습을 갈망하시면 남자가 들어 올 수 있다.(**악마. 완즈 9. 펜타클 6**)

이 여자분은 성적으로 남편에게 만족하지 못하고 있으며 자식 때문에 밖으로 나가지도 못하고 스트레스 받고 있는 것이다. 처음에는 타로배열의 위치에 따라 통변을 꾸준히 하다보면 나중에는 전체적으로 스토리를 만들어내는 안목이 생겨 질문내용에 핵심 카드 2~3장만 보고도 통변이 가능하다. 따라서 질문내용에 따라 7장 카드 위치배열 전후관계를 보고 단순하고 평면적인 리딩이 아니라 입체적이고 종합적인 유기적 관계를 파악하는 리딩을 만들어내야 한다.

[문 81] 10 카드 실전통변 (결혼궁합)

10 카드 배열로 보는 궁합은 결혼을 전제로 하는 커플위주로 본다. 물론 카드 배열의 장수가 중요한 것이 아니지만 상담 전에 타로술사가 타로배열의 설정여부를 미리 결정을 하는 마음가짐이 중요하다. 커플이 함께 궁합을 보는 경우는 각자 5장씩을 뽑아 남자부터 순서대로 배열한다. 혼자 궁합을 보는 경우라면 상대방을 생각하면서 10장을 뽑는다.

1. 그는 나만을 사랑하는가: 컵 10

   결혼하고 싶어한다. (여자를 위해 아파트를 사 놓았다고 한다.)

2. 나는 그를 믿고 있는가: 검 8

   여자는 고민하고 불안하다. (40살이 되어도 연애 해본 적이 없다고 한다.)

3. 현재 궁합: 펜타클 5

서로 노력하지 않고 불안정하다.

4. 그는 나를 믿고 있는가: 완즈 여왕

결혼할 여자로 믿고 있다.

5. 그는 바람기가 있는가: 펜타클 10

가정적이기 때문에 바람기가 전혀 없다.

6. 나는 그를 경제적으로 믿는 마음: 완즈 소년

경제적으로 그를 믿는 마음이 크지는 않는다.

7. 결혼: 펜타클 왕

남자입장에서 결혼운은 좋다.

8. 결혼 후 서로 경제적, 정신적으로 만족하는가: 펜타클 3

현재의 만족보다는 앞으로 좋아지고 두 사람 사이에 누군가 끼여 있다.

9. 자녀 문제: 컵 5

자녀 문제에 고민이 많다. 유산 등

10. 결론: 은둔자

결혼은 힘들다.

4번 현재궁합. 7번 결혼, 10번 결론 3장을 보고 결혼궁합에 대한 결과를 판단해야 한다. 또한 결과가 좋아도 서로 향하는 마음과 바람기 등을 참고하여 나쁘게 나오면 두 사람의 연애시기가 어느 정도 필요하다고 설명하고 급하게 결혼을 해서는 안된다.

그리고 현재 두 사람이 너무 좋아하는데 궁합이 안좋게 나오면 솔직하게 연애궁합와 결혼궁합에 대해서 설명하고 더 궁금하다면 다음에 각자 따로 방문하여 궁합을 보게 해야 한다.

[문 82] 10 카드 실전통변 (결혼궁합)

1. 그는 나만을 사랑하는가: 컵 7

   고민이 많다.

2. 나는 그를 믿고 있는가: 달

   근심. 걱정. 불안하고 고민이 많다.

3. 현재 궁합: 연인

   좋아하는 마음은 있고 어느정도 궁합은 좋다.

4. 그는 나를 믿고 있는가: 정의

   고지식하고 융통성 없고 표현력이 없으며 자기 할 도리만 하고 인간미가 없다.

5. 그는 바람기가 있는가: 악마

   한번 빠지면 집착이 강하다. 아니면 바람 피는 자체를 혐오한다.

6. 나는 그를 경제적으로 믿는 마음: 완즈 4

그를 경제적으로는 좋은 감정을 갖고 있다.

7. **결혼: 절제**

이별했다가 다시 만날 수 있고 서로 노력하면 결혼할 수 있다.

8. **결혼 후 서로 경제적, 정신적으로 만족하는가: 펜타클 7**

아직은 안정이 안되고 기다려야 한다.

9. **자녀문제: 검 3**

임신이 안될 수 있고 자녀가 있다면 속상한 일이 있다.

10. **결론: 힘**

현재상황은 힘들다. 내가 노력해서 이겨 내야 한다.

* **정의는** 장사. 사업은 아니다. 공무원 스타일이고 다루기 힘든 사람이다.

[문 83] 10 카드 실전통변 (결혼궁합)

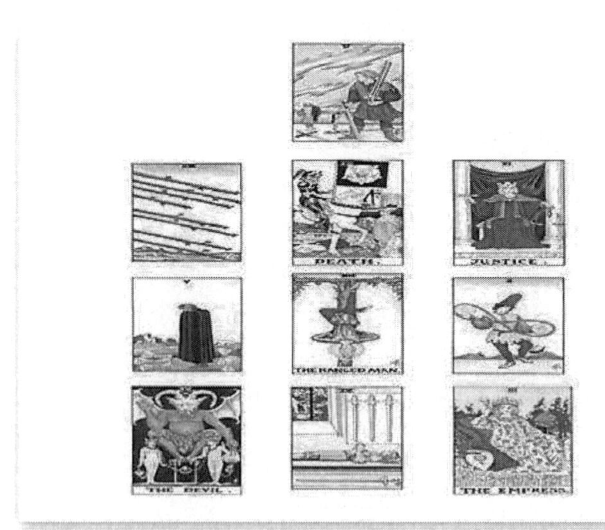

궁합 (남자가 상담)

1. 그녀는 나만을 사랑하는가: 검 5

   많이 싸우고 힘들었다.

2. 나는 그녀를 믿고 있는가: 정의

   고지식하고 융통성이 없으며 답답하게 하고 있다.

3. 현재 궁합: 죽음

   전화위복이 필요하고 새로운 전환점이 필요하다.

4. 그녀는 나를 믿고 있는가: 완즈 8

   마음이 떠 있다. 이별할 마음이 강하다.

5. 그녀는 바람기가 있는가: 펜타클 2

   바람기가 있고 갈등할 수 있다.

6. 그녀는 나를 경제적으로 믿는 마음: 매달린 사람

현재는 힘들고 기다려야 한다.

7. **결혼: 컵 5**

   이러지도 저러지도 못하다. 정리해야 한다.

8. **결혼 후 서로 경제적으로나 정신적으로 만족하는가: 여황**

   여자의 기대가 크다.

9. **자녀문제: 검 4**

   자녀문제가 있고 힘들 수 있다.

10. **결론: 악마**

    결과는 너무 힘들다. 이별하는 것이 좋다.

*** 추가로 타로 리더가 두 장을 뽑았다.**

현재: 컵 3 -> 삼각관계가 있을 수 있고 현재까지는 애정이 살아 있다.

결과: 검 소년 -> 상대방에게 상처를 주면서 힘들게 간다. 시비. 다툼

[문 84] 현재 다니고 있는 직장운은 앞으로 어떤지요?

현재 다니고 있는 직장운을 물어본다는 것은 여러 가지 이유가 있을 것이다. 직장내의 갈등문제나 승진유무, 월급. 퇴직 후 이직. 업종변경 등으로 고민하여 찾아온 경우가 대부분이다. 이처럼 각각의 운세나 연령별에 의해서 질문사항을 분석하다보면 질문 속에 핵심이 나오는 경우도 많다.

따라서 타로내담자가 막연하게 질문을 던지면 그 질문을 잘 파악하여 타로배열에 따른 리딩을 분석해야 한다. 왜냐하면 타로상담을 바라는 질문자 입장에서는 질문자체가 너무 두리뭉실하고 애매모호하게 말하는 경우가 많기 때문이다.

과거는 검 2 카드이다. 부정적으로는 진퇴양난이고 결정을 내려야 하는 시점이며 스트레스를 받고 있는 모습이다. **현재는 달, 펜타클 10 카드이다.** 힘들고 인정을 못 받고 있지만 조건이 좋아 직장 다닐 수 있다.

미래는 펜타클 5 카드이다. 스스로 노력을 하지 않고 포기할 수 있다. **문제점은 펜타클 기사 카드이다.** 소심하고 답답하며 융통성이 없으며 능동적이지 못하고 일을 자발적으로 하지 못하고 있다.

결과는 악마 카드이다. 절제력이나 의지력이 약하고 더 이상 직장 생활이 힘들다. **조언 카드는 태양이다.** 현재 주부라면 자식 때문에 참아야 하고 처녀라면 윗사람의 보호나 도움을 요청하고 보다 긍정적이고 낙천적인 밝은 마음을 갖고 이겨 나가야 한다.

타로점술은 다른 점술과 다르게 타로내담자에게 현재 문제점을 극복하여 해결방안을 해줄 수 있도록 조언을 해주어서 보다 심리적으로 치유하는데 도움을 줄 수 있는 것이 큰 장점이다.

@@ 그러면 직장을 그만두면 새로운 직장운은 어떤지요?

현재 완즈 4 카드이다. 집안이나 주위에 도움을 주는 사람이 있다. **진행과정은 연인 카드이다.** 귀인이나 소개나 동업자 등으로 갈 때가 있다. **결과는 완즈 여왕 카드이다.** 완성할 수 있는 카드이며 책임자나 관리자로 갈 수도 있고 사업도 할 수 있다.

[문 85] 현재 다니고 있는 직장생활 잘할 수 있을까요?

과거 카드는 힘이다. 힘든 상황이었지만 노력해 왔다. **손기술(힘, 펜타클 3)** 직업이다. **현재 카드는 컵 3. 검 7이다.** 주변 직장동료들과 즐겁고 좋지만 욕심이 많고 제대로 표현하지 못하고 있으며 만족하지 못하고 있다. **문제점은 컵 여왕 카드이다.** 속마음을 내비치지 않아 표현이 부족하여 문제일 수도 있다.

미래는 완즈 6 카드이다. 직장을 그만두고 창업할 수 있고 다른 사람보다 자신에게 얻어진게 많을 수 있다. **결과는 펜타클 왕 카드이다.** 매우 좋다. 이 정도면 스스로 독립하여 사업할 수 있는 능력을 갖춘다. **조언 카드로는 펜타클 3이다.** 동료들과 팀웍과 화합에 신경을 더 써야 하며 기술 전문가에게 조언을 받고 본인 기술을 좀 더 채워 나가야 한다.

[문 86] 재계약을 세입자가 연기했는데 앞으로 어떤지 요?

과거 카드는 마법사이다. 과거에 세를 싸게 내 놓았다. 마법사는 2% 부족(횟집 가게) **현재 카드는 완즈 4이다.** 계약하고 싶은 마음이 강하다. **상대방의 마음은 광대 카드다.** 불안정하고 갈등하고 있다. **본인의 속마음은 컵 2 카드다.** 내가 원하는 대로 상대가 결정해주기를 원하고 있다.

미래 카드는 교황이다. 서로 중재, 조절이 필요하다. **결과는 컵 10 카드다.** 원하는 대로 잘 되어진다. **해결 방안은 절제 카드다.** 절제, 중용이 필요하고 세를 조금만 올려주고 서로 이해 해주어야 한다.

[문 87] 현재 직장을 다니고 있는데 이직이 가능한가요?

과거 카드는 힘이다. 과거에 힘이 들었고 노력을 많이 해왔다. **현재 카드는 완즈 기사. 검 6이다.** 구직을 위해서 열심히 알아보고 있고 다른 지역도 고려하고 있다. 누군가의 도움을 받아야 하고 현재는 부족하고 노력해야 한다.

미래 카드는 펜타클 5이다. 원하는 취직이 어렵고 조건이 맞지 않는다. 직장 나오면 고생한다. **문제점은 검 4 카드이다.** 직장을 그만두고 쉬고 싶다. 건강도 안좋다. **결과는 완즈 9 카드이다.** 조금 부족하고 어렵다. **해결방안은 완즈 8이다.** 빠른 이동과 변화를 두어야 하며 멀리 가야 한다.

[문 88] 딸이 원하는 직장에 취직할 수 있나요?

과거 카드는 컵 4이다. 불만족에 슬럼프에 빠져 있다. **현재 카드는 펜타클 8, 연인 카드이다.** 현재는 나름 노력하고 있다. 승무원이 간절히 되고 싶다. **문제점은 검 기사 카드다.** 자기주장대로 가고 있고 너무 급하게 서두르고 있고 실력이 부족하다. **미래 카드는 펜타클 7 이다.**

신중히 고민하고 때를 기다리고 있다. **결과는 완즈 기사이다.** 많은 노력을 했지만 완성은 아니다. 다른 지역으로 이동해야 한다. **해결 방안은 컵 5이다.** 미련을 버리고 새로운 출발을 해야 하고 낮추어서 가야 한다.

[문 89] 과거에 했던 일인데 직장을 잘 다닐 수 있을까요?

과거 카드는 컵 에이스다. 과거에 좋은 시작을 했었다. **현재 카드는 여황, 연인이다.** 경력이 있어 현재 인정을 받고 있고 도와주는 사람이 있고 관계유지가 좋다. **미래 카드는 컵 기사이다.** 변동. 변화가 올 수 있고 스카웃 제의가 들어 올 수 있다. **결과는 절제 카드이다.** 바로 결정하지 말고 절제해야 하며 교류. 협력해야 한다.

문제점으로는 황제 카드이다. 본인이 주인처럼 할 수 있고 너무 자만에 큰소리 칠 수 있다. 아니면 사장 때문에 불편할 수 있다. **조언 카드로는 악마이다.** 일에 매달려 집중하든지 적극적으로 일에 욕심내야 한다. 절제력 의지력을 키우고 유혹이나 욕망에 빠져서는 안된다.

[문 90] 현재 남자친구가 있는데 앞으로 애정운이 어떤지요?

과거 카드는 검 6이다. 사이가 안 좋았거나 깨진 적 있다. **현재 카드는 검 여왕이다.** 결혼운이 안좋고 다투는 상황이고 외롭다. **상대방의 속마음은 컵 여왕이다.** 여자가 포용력이 부족하고 자상하지 못하고 연상의 여자 일 수도 있다. **본인의 속마음은 컵 9이다.** 남자가 거만하고 자상하지 못하다. **문제점. 해결방안은 컵 소년이다.** 문제점은 자기 감정에 빠져 있고 해결방안은 새롭게 시작할 수 있는 분위기가 필요하다. **미래 카드는 컵 7이다.** 고민이 많고 망설임이 많다. **결과는 펜타클 왕이다.** 불안정 하고 현실적으로 결혼까지 가기 힘들다.

상대방의 속마음에 컵 여왕은 여자친구 본인의 모습으로 나타났고 **본인의 속마음에 컵 9은** 남자친구의 모습이 본인의 마음속에 나타나 있다. 이처럼 서로 상대방의 모습이 나타날 수도 있다. 그리고 **결과 카드인 펜타클 왕의 해석**은 전후 관계를 보고 부정적 측면으로 해석해야 한다.

[문 91] 2층 가게가 나왔는데 사주카페로 운영하면 어떻까?

현재 10년 가까이 여행사를 운영을 하다가 올해(2020년) 코로나로 직격탄을 맞아 재계약을 하지 못하고 공실로 나온지 얼마 되지 않는 큰 대로변에 위치한 가게를 사주카페로 전환하면 성공할 수 있을까 생각하면 7 카드배열법으로 타로점을 보았다.

7 카드 배열법으로 **과거 카드에 컵 9가 나왔는데** 이 카드 해석을 어떻게 해야 하나 고민 해봐야 한다. 과거 나의 모습으로 보아야 할지 아니면 이 가게 장소로 보아야 할지 과거 운영했던 여행사로 보아야 할지 질문상황이 명확하지 못하면 확실한 통변을 할 수가 없다. **컵 9은** 나름 최고는 아니지만 동종업계에서는 능력있는 사람이며 장소로 보면 인지도가 높은 상권이다. 누구든지 보더라도 2층에 위치에 있어도 사람들의 왕래가 많은 곳에 한눈에

보이는 장소이다.

현재의 모습과 현재에 대한 영향력은 완즈 7과 전차 카드로 해석한다. 현재 버거운 모습이며 급하게 이동해야 하는 이동수가 보이지만 이 전차 카드를 버거운 모습으로 부정적으로 해석을 해야 한다면 급하게 서두르고 이동수가 좋지 않다고 통변할 수 있다. 그러나 이것을 무조건 긍정적으로 해석을 해버리면 좀 버겁지만 강력한 이동운이 들어와 적극적으로 밀어붙이면 좋다고 해석해 버릴 수 있다.

여기에 **문제점 카드로 소드 기사가 나왔고 미래 카드에 펜타클 7이 나왔다.** 여기에 키포인트가 있는데 서둘러 급하게 행동하는 것이 문제이기 때문에 현재상황은 긍정적으로 해석보다는 부정적으로 통변하는 맞다. **미래 카드 펜타클 7은** 조금 기다려야 하며 망설임과 고민으로 현재 이 가게를 급하게 계약하면 안되고 **결과 카드에 태양카드가 나왔다.**

이 카드는 만사형통으로 긍정적으로는 굉장히 좋은 의미를 가지고 있다. 시간이 어느 정도 지났을 때 긍정의 의미가 있고 지금 당장은 애같이 급하고 금방 식어버리며 또 다른 측면으로 본다면 생산력이나 활동성 저하의 부정적인 측면으로 본다면 손님이 없다고 결론이 나버린다.

그러나 조언 카드가 컵 3가 나왔는데 상담선생이나 가족. 홍보(광고)들이 도와주면 사주카페가 활성화가 될 수 있으나 혼자 힘으로는 역부족이라고 나온다. 결국 사주카페는 가족이나 상담선생. 홍보 없이 힘들다고 나온다. 그러나 이런 통변은 냉정하게 부정적 측면으로 본 것이고 이 배열을 너무 긍정적으로 해석해버리면 현재 고생을 할 수 있지만 조금만 견디어 내면 만사형

통할 수 있고 **문제점으로는 소드 기사가 나와** 누군가의 경쟁자가 나타나 빨리 계약을 한다는 착각으로 통변을 할 수 있고 **조언(해결방안)으로는 컵 3가** 축배의 모습으로 주변 사람 도움으로 **결과 카드인 태양이라** 대박날 수 있다고 통변할 수 있다.

타로배열에 따라 정.역방향대로 해석을 해도 앞뒤가 안 맞는 경우가 많다. 7장의 배열에 앞뒤 카드의 의미에 따라 긍정과 부정의 의미로 해석하는 것이 가장 근접한 모범 답안이 나온다. 제 마음이 들떠 있다는 것이 카드 배열에 그대로 나왔고 긍정적으로 바라는 통변이 앞서니 통변을 엉뚱하게 해석할 수 있었으나 시간이 얼마 지나지 않아 아는 지인과의 통화로 다시 배열을 보니 제대로 통변을 할 수 있었다.

조언 카드 컵 3의 이런 경우도 지인의 도움이 받아 급하게 계약을 할까 하는 마음이 완전히 사라진 것이 **결과 카드(태양)인** 철없는 아이의 모습이었던 것이다. 이런 배열을 그대로만 해석해버리면 문서운이 들어와 좋다고 통변할 수 있다.

이 배열은 3장의 핵심카드로 압축한다면 **메이저 카드인 전차 카드와 태양 카드이고 소드 기사이다.** 이 3장의 의미는 서두르고 있다는 것이고 바로 계약해버리는 마음이 앞서고 있다는 것이다. 그런데 그 마음이 1시간도 되지 않아 사라진 것은 **조언 카드의 컵 3의 모습인데** 아는 지인과의 1시간 동안 즐거운 전화통화에서 사주카페 계약 포기로 답이 난 것이다.

[문 92] 수능공부때문에 이별한 남친의 마음과 앞으로 두 사람 인연이 어떻게 될까요?

[현재상황]

현재 질문자는 재수를 하는 수험생으로 남친이 있었는데 남친이 두 사람의 연인관계가 공부를 하는데 집중할 수 없다고 수능시험 보기 전까지 이별하는게 좋을 것 같다고 해서 어쩔 수 없이 이별을 했다고 한다. 자신(질문자)은 남친과 수능시험 때문에 잠시 이별했다고 생각하고 있었는데 최근 남친의 행동이나 주변 친구들의 안좋은 이야기를 듣고 마음속에 분노가 치밀어 올라와 답답해서 타로점을 보러 왔다고 한다. 이런 상담은 오랫동안 상담경험으로 타로를 보지 않아도 애정 스토리가 나온다.

[7 카드 배열법]

과거: 컵 2

현재: 매달린 사람

남친이 나를 바라보는 모습: 소드 4

내가 남친을 바라보는 모습: 태양

미래: 컵 3

결과: 완즈 4

문제점,조언.해결방안: 컵 여왕

타로 배열법 분석은 처음에는 배열의 위치에 따라 1장씩 해석하지만 어느 정도 숙달이 되면 7장 전체를 서로 연결시켜 스토리를 전개해야 한다. **과거 카드는 컵 2가 나오고 현재상황은 매달린 사람이 나왔다.** 다시 한번 언급하지만 정.역방향과 관계없이 전후관계를 보고 긍정과 부정적인 측면으로 통변한다. 따라서 모든 타로카드를 양면성을 가지고 접근해야 시야의 폭이 넓어진다,

현재는 과거로부터 나온 결과이기 때문에 과거에 두 사람의 애정 감정이 너무 좋았고 남자가 잘해주었다는 것을 알 수 있다. 그런데 **현재는 매달린 사람이라** 어쩔 수 없는 상황에서 두 사람의 관계가 답답하게 진행되고 있고 잠시 시간이 흘러야 하는 관계라는 것을 파악 할 수 있다. 여기까지는 누구나 쉽게 통변 할 수 있다. 그런데 **남친의 모습을 보니 소드 4가 나왔고 질문자의 모습은 태양카드가 나왔다.** 이 2장의 카드를 보고 여러 가지 상황을 유추할 수 있어야 한다.

자신의 성향, 상대를 바라보는 모습. 각자의 현재 상태 등 심지어는 서로 바라보는 모습을 상대의 모습을 내 위치배열에서도 나올 수 있다. 이런 통변을

어려운 용어로 역투사, 다중투사 이런 표현을 쓴다. 간단히 말하면 카드 1장으로 스토리를 다양하게 유추하는 것이다.

남자의 모습에 소드 4는 공부(소드)에 대한 스트레스를 받고 있고 간절히 기도하는 모습이 보여지고 여친에 대한 모습도 감정에 빠져 있지 않고 단호한 모습이고 이별한 상태라는 것을 파악이 되며 남자의 성향은 과거 컵에서 지금 소드의 모습이라 단순히 공부 때문에 여친과 이별한 것도 되지만 서로 성향이 맞지 않고 불편했던 남친의 속마음(소드의 성향)도 있다.

여자의 모습에 태양은 친구에서 연인으로 발전할 수 있고 긍정적으로는 남친을 사랑하는 순수한 마음을 가지고 있으며 남친 또한 과거에 그런 마음을 가지고 있었다는 것을 알 수 있다. 그러나 **태양의 부정적인 측면으로는** 자기 감정을 감추지 못하고 솔직하게 드러내어 상대방의 감정을 건드릴 수 있다. **문제점. 조언 카드에 컵 여왕은** 집착의 성향을 보고 곁들어서 통변해야 하는데 실전 타로상담은 복잡한 상황을 질문자의 수준에 맞추어 쉽게 통변해야 한다.

여기까지 설명하니 지금까지 처해진 상황이 어떻게 똑같이 타로그림으로 나오는것에 대해서 신기해 한다. 질문자 왈. 원래는 남친이 중학교 동창이었는데 올해 초 학원에서 고백을 받아 사귀였다고 한다. 처음에는 남친이 원하는 대로 다 맞추어 주고 잘해 주었지만 현재는 본인이 남친에 대한 좋아하는 감정이 커서 자신이 힘들다고 한다.

여기서 질문자의 심리상태를 **메이저카드 2장과 컵 여왕을 보고** 심리상태를

잘 파악하여 긍정적으로 설명을 해주어야 한다. 타로점의 묘미는 질문자의 마음상태를 올바르게 전환시켜 좋은 기운으로 치유하는 장점이 있다. **컵 여왕은** 애정운에서 이성에게 인기가 있고 아무 남자나 사귀지는 않지만 한 남자에게 한번 빠지면 감정 조절을 못하는 흠이 있다.

남자가 자기를 리더를 해도 만족하지 못하고 그렇다고 본인이 남자를 휘여잡고 리더를 하지 못한다. 알 수 없는 뚜껑 닫힌 컵의 마음이 그대로 나타난다. 남자 입장에서 보면 사귀면서 이 여자의 성향에 많이 피곤해 할 수 있으면 권태기가 빨리 올 수도 있다. 여기까지 5장 카드를 1장으로 압축시켜 현재까지 두 사람의 상황이라 할 수 있다.

나머지 미래와 결과 카드를 통변해야 하는데 **미래는 컵 3가 나왔고 결과는 완즈 4가 나와** 긍정으로 보면 가까운 미래에 두 사람이 다시 만나 축배를 들고 행복의 문으로 들어가 기쁨의 재결합 할 수도 있다고 통변할 수 있다.

그런데 **남자의 마음상태가 소드 4이고 현재 매달린 사람 카드로** 보아서는 남자마음이 다시 회복하려면 시간이 필요하다고 나와 무조건 행복한 재결합으로만 기분 좋게 결과를 도출하기에는 다시 두 사람 주변상황을 짚어 보아야 한다.

여기까지는 1단계로 타로 이론편을 열심히 공부하면 누구나 다 통변을 이렇게 할 수 있다. 2단계로 7장의 카드로 숫자나 이미지 리딩으로 또 다른 측면의 통변을 해야 한다. 이 단계에서 타로술사의 직감력의 수준에 따라 질문자의 신뢰도는 천차만별이다. **과거 카드인 컵 2가 나왔고** 타로리더의 마음속에서 두 사람의 처음 사귄 모습을 느끼면서 1장을 뽑아보니 **소드 기사가** 나와 두 사람이 썸을 타지 않고 바로 사귀거나 그렇지 않으면 사귄지 얼마 못가서 깨졌다고 하니 2개월 정도 사귀고 깨졌다고 한다. 과거카드 숫자 2는 2개월을 뜻하고 컵의 기간은 몇 개월 정도이니 정확하게 교제기간이 나온다.

미래 카드에 컵 3에 또 다른 여자의 모습이 보이니 남친 주변에 여자들이 있고 공부보다는 친구들과 어울려 노는 모습이 진짜로 공부하고 있냐고 물어보니 요즘 공부보다는 친구들과 어울리고 전에 오래 만났던 여자도 있고 아는 친구에게 자기와는 다시 사귀지 않는다고 말을 해 열이 받아 본인에게 말도 못하고 울화통이 터져 답답했는데 타로상담을 해보니 마음이 어느 정도 안정이 된다고 한다.

어차피 남친이 시험 끝난 후 먼저 연락이 오면 재결합 할 수 있지만 본인이 먼저 나서지 말고 주위 친구들에게 괴로운 속마음을 드러내지 말고 처음 남친이 착하고 순수하게 접근했던 그런 모습으로 다시 다가와야 진정한 재결합이 될 수 있다고 결론을 내려주고 **결과카드 완즈 4를 보고** 이미지 리딩을 해보니 원하는 대학교 합격이 행복해 하는 이미지를 보고 두 사람이 똑같은 대학에 들어가던지 대학생 신분으로 애정이 새출발하는 모습으로 다양하게 추론해 볼 수 있다.

따라서 두 사람의 인연은 시간이 아직 필요하고 긍정적인 결과가 강한데 얼마만큼 두 사람의 주변환경을 만들어 내느냐에 달려 있다. 지금까지 타로실전경험상으로 비교적 안정된 미래 결과카드가 정방향으로 나와도 이별한 경우도 있고 역방향으로 나와도 재결합 할 수 있어 배열법으로 인한 통변은 전체카드를 보고 결론을 내야 한다.

문제는 컵 여왕에 질문자의 불안한 모습으로 감수성이 예민하여 남자가 거기에 맞추어 처음에는 상대를 해주지만 결국은 남자는 변한 모습에 여자쪽에서는 집착하게 안절부절 못하는 상태로 그리움과 두려움으로 상대를 잊지 못하는 잠재의식 상태를 확인해주면서 주변에 남자들에게 인기도 있고 나를 좋아하는 남자가 있다고 하니 다른 남자는 눈에 들어오지도 않고 자기는 남친이 있어 한번 빠지면 후유증이 오래가는 스타일이라고 하니 이 질문자의 무의식속에 마음의 문제는 **메이저 카드인 태양. 매달린 사람. 인물 카드 컵 여왕의 성향**에 그대로 나타나고 있다.

태양 카드에 태양속에 비춰진 열이 받아 화난 얼굴의 모습을 보여주면서 드러내는 모습과 감춰진 **컵 여왕의 모습에** 감정기복이 심하다는 것을 컨트롤 할 필요가 있다고 위로해주는 상담이 필요하다. 왜냐하면 **컵의 성향은** 행동의 변화가 느리고 직선적인 상담에 오히려 상처를 받아 더 우울해질 수 있다.
과거 타로상담에 제 자신(필자)도 문제점이 적중률에 맞추다보니 직선적인 상담이 되어 컵의 부정적인 성향을 가진 손님들에게 마음의 상처를 많이 주었던 경험이 많다.

[참고사항]
1단계로 기본 키워드 배열법 리딩 통변이 숙달이 될 때까지 2. 3단계인 이미지. 물상, 직관리딩은 자제해야 한다. 기본기에 충실해지면 자연스럽게 2. 3단계로 올라갈 수 있는 응용력과 직감력이 생긴다.

예를 들어 바둑 초보수준이 프로수준을 흉내 낸다고 실력이 늘지 않는다. 타로배열법 리딩을 터득해야 자연스럽게 자유자재로 직관리딩도 되는 것이다. 총명하고 급한 토끼보다는 꾸준히 노력하는 거북이가 결국 먼저 정상에 오른다는 이치를 상기하시길 바란다.

[문 93] 30대 여성분이 현재 남편과 친정 아버지와의 관계가 안 좋은데 앞으로 어떠한지요?

친정 아버지는(**교황**) 고지식하시고 융통성이 없으며 잔소리가 많으시고 남편은(**펜타클 왕**) 굉장히 현실적이며 약한 스타일이 아니다. 당신은 현재 임신한 상태인데(**여황**) 장인과 사위와의 관계가 쉽게 풀리지 않는다.(**죽음.탑**) 서로 대화가 안 통하며 장인은 부모로서 도의적인 관계를 따지시니 서로 간에 시시비비를 따지기 전에 자식입장에서 먼저 굽히고 들어가야 하는데 사위 성향은 그런 부분이 받아드리지 않고 있어 두 사람 관계가 심각하다.

잘못하면 당신 부부관계까지도 문제가 생길 수 있다. 당분간은 출산할 때까지는 서로 간에 부딪치지 말고 거리를 두고 지켜 보아야 한다.(**펜타클 기사**) 질문자 왈. 최근에 남편이 술을 먹고 장인과 싸움을 했다고 한다.(**죽음**) 친정 아버지 입장에서는 아무리 부모가 잘못을 했어도 자식으로서 도리에 어긋난 행동은 도저히 용서할 수 없다고 하는데(**컵 4**) 딸 입장에서는 답답하여 타로점을 보러 왔다고 한다.

결론은 당분간은 해결의 실마리가 안보이고 남편이 자존심 버리고 장인어른에게 직접 사죄하는 방법 밖에 없는데 아마 남편도 절대 굽히지 않으니 출산하기 전까지 조용히 지내면서 어느 정도 화가 풀리면 화해가 될 수 있다고 상담하였다. **미래카드 탑 카드는** 엄청난 변화가 일어날 수 있으니 각별히 몸조심하고 태아에 신경 쓰라고 조언해 주었다.

2장의 카드에서 **컵 8은** 현재 부친과 남편이 사이가 완전히 틀어졌다는 것이고 **세계는** 완성이 아니라 미완성으로 부정적 측면으로 해석해야 한다. 또한 물상적으로 보면 두 사람의 화해가 쉽게 되지 않는 상태에서 임산부의 심적인 스트레스로 유산문제가 생길 수 있으니 각별히 조심해야 한다.

[문 94] 20대 후반에 여성분인데 현재 다니고 있는 직장을 계속 다녀야 하는지요?

과거 이 직장에서는 업무능력이 아직 부족한 상황이었고(**펜타클** 8) 이직에 대해서 고민을 많이 했지만 현재 다시 시작하는 마음을 가졌지만(**컵 소년**) 직장 상사와의 갈등이 생겨(**소드** 5. **컵 왕**) 조만간에 갈등이 심해질것으로 보인다.(**컵** 5) 이런 문제들로 다른 동료들도 퇴직을 했던것으로 보아(**소드** 5. **컵** 5) 직장상사의 마음은 부하직원을 다루는 마음이 부족한것 같다. 결국은 얼마 가지 않아 퇴직할 것으로 보인다.(**컵** 4. **컵** 5)

상담자에게 현재 상황에 대해서 물어보니 현재 근무하는 회사에 다닌지 5개월 정도 되었고 어학 관련 회사이며 직장상사는 외국에서 거주하고 있는데 한국직원들을 관리한다고 합니다. 그런데 직장상사가 여자인데 감정적으로 너무 부당하게 직원을 다룬다는 것이다.

그래도 참고 직장을 다닐려고 했는데 이번에 문제가 생겨 퇴직하려고 하는데 사직서를 내도 1개월 이상 적임자가 생길 때까지 다녀야 한다는 조건이라고 한다. 카드배열에서 **컵 종류가 4장이나 나왔다. 컵은** 대인관계에 있어서 감정적인 부분을 나타낸다. 직장상사의 성향은 **컵 왕, 소드 왕**으로 파악할 수 있다. 직원을 배려하는 포용심이 부족하고 냉정하고 원칙을 준수하는 상사라는 것을 알 수 있다.

[문 95] 타로 실전 3 카드 배열 입체적 분석

타로 개인지도를 희망하고 수강한 날 약속 시간에 지나서도 오지 않자 궁금해서 타로 3장을 뽑아 보았다. 그리고 잠시 후에 문자를 보냈는데 40분 이후에 답장이 왔다. 문자 오기 전에 내가 타로 리딩한 내용과 문자 후 통변을 해 보았다. 먼저 몇 장을 가지고 타로 배열을 할것인가를 스스로 결정해야 한다. 이것은 정해진 것은 없기 때문에 각자의 판단에 맡긴다.

나는 3 카드 배열로 세 장의 그림이 나왔다. 2장의 메이저 카드와 1장의 마이너 소드 카드가 보인다. 보통 막연히 그림만 보고 해석을 하려고 하면 무엇부터 설명을 해야 할지 당황한다. 리딩하기 전에 사전에 준비작업이 필요한데 우리가 알고 있는 키워드는 기본(메뉴얼)키워드. 이미지(전체). 상징(부분), 물상대체 등 키워드가 있다. 여기에 중요하게 더 추가해야 하는 것이 있는데 배열위치별 키워드가 있다.

배열법은 정해진 것은 아니고 스스로 다양하게 만들 수 있다. 예전에 수 많은 타로상담을 할때는 나는 머릿속으로 스스로 질문을 하면서 1장씩 여러

장을 뽑으면서 질문자 앞에서 스토리를 만들어냈다. 이것도 하나의 배열법에 속한다. 그럼 3장의 배열법을 보면 흔히 과거- 현재- 미래. 현재상황-과정-결과... 이런식으로 배열법 위치에 따라 해석한다. 이것을 좀더 입체적으로 스토리를 전개해야 한다.

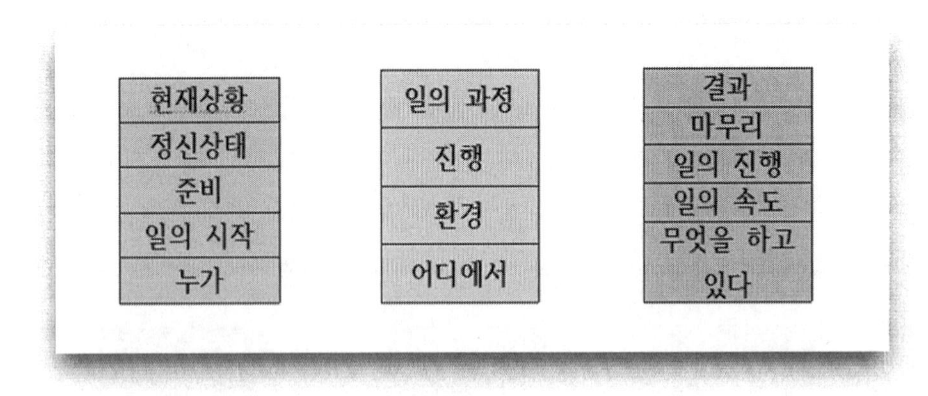

이런 식으로 배열위치 키워드를 질문에 맞추어 만들 수 있다. 문자가 오기 전에 나는 3장의 카드에서 **세계 카드를** 보고 기본 키워드 부정적 측면으로 도중하차. 미완성이 떠올랐다. 대부분 세계 역방향에 나오는 키워드이지만 나는 정.역방향을 따지지 않고 질문내용과 3장의 전체적인 분위기를 보고 긍정과 부정으로 해석한다. **소드 9를 보고 세계. 교황을** 부정적 측면으로 보았다.

그러면 배열위치별 첫 번째 **세계 카드는** 누가(수강생). 정신상태(수강생). 현재모습(수강생). 일의시작(수강생). 과거(수강생)로 스토리를 전개한다. 도중하차(미완성)의 기본키워드 전제하에 이미지 리딩을 해보아 전체적으로 스토리를 만들면 이 수강생은 자기틀에 갇혀있고 여러 가지 고민으로 선택을 못하고 있으며 과거 여러 타로선생에게 상담이나 강의를 받아본 경험이 있는데 미완성이라는 결론에 도달한다.

그리고 **물상대체 직관리딩으로 세계 카드는** 전세계적으로 시청하는 유튜브 강의가 연상이 되는데 남녀 4~5명의 선생강사가 보인다.

두 번째 **교황 카드는** 어디에서(선생.강의장소). 진행과정.환경.현재(자신의 타로공부모습)로 스토리를 전개한다. 교황의 부정적 측면의 기본키워드는 인연없는 선생이나 자신의 공부자질 미숙의 기본 키워드 전제하에 전체적인 이미지 리딩을 해보면 타로선생(필자)은 고지식하고 자기말이 최고며 기존 타로공부와 부담되어 타로강사로서 자기와는 맞지 않는다고 생각하고 열쇠 2개는 한달 수강료를 의미하는데 부담스럽게 보이며 그리고 자신의 현재 타로공부 자질능력이 부족하고 개인지도에 심적인 부담으로 스스로 고민하는 모습이 **소드 9를** 보고 짐작할 수 있다.

세 번째 **소드 9 카드는** 무엇을 하고 있나(수강생). 진행속도.결과.미래(타로공부)로 스토리를 전개한다. **소드 9의 모습은** 수강생이며 타로공부에 대한 소심한 자세이고 타로공부나 상담에 대한 심적인 부담과 갈등으로 진행이 더디며 확신을 가지지 못한다. 소드의 성향은 공부.지성.논리.판단력 등을 의미하는데 9개의 소드를 해석하면 최소 9개월이상 공부를 해야 하는데 본인은 조급한 마음이 강하다고 볼 수 있고 직접 타로수강하겠다고 약속까지 하고 간 상태에서 어기니 스스로 양심의 가책으로 심적 불안의 모습이다.

결론은 쉽게 나오지만 3장으로 다양하게 스토리를 전개하는 연습을 해야 한다. 논리적으로 분석을 하려면 처음에는 자신의 타로임상노트를 작성하여 직접 적으면서 입과 손과 귀로 동시에 연습훈련을 해야 한다. 말로만 떠들면 비록 말문은 터지지만 다양한 타로통변 분석력이 현저히 떨어진다는 것을 알아야 한다.
40분 뒤 문자가 와서 어린이 날 자식들이 찾아와 깜빡 잊어 죄송하다고 다음날 오겠다는 문자가 왔다.

이 문자를 받고 3장의 카드를 다시 재해석해 보았다. **세계 카드를 보면** 수강생이 타로수업을 받지 못한 것이 집안에 갇혀있는 모습을 연상을 했고 그 이유는 **교황 카드를 보면** 교황은 수강생 자신의 모습이고 두 사람은 결혼한 자식의 모습으로 이미지 리딩을 했다. 그래서 **소드 9는** 공부를 못하고 있는 수강생의 모습으로 재해석하니 처음 타로리딩한 나의 해석이 엉터리 리딩이 되어 버린 것이다.

그리고 3장의 타로그림을 보고 잠깐 동안 타로명상을 해보고 이 3장으로 질문과 다르게 수강생이 지금까지 살아온 인생을 전체적으로 그려 볼 수 있다는 생각이 들었다.
스스로 질문을 하면서
1. 이 사람은 어떠한 모습과 성향을 가지고 있는가?
2. 이 사람은 어떠한 직업을 가지고 있었는가?
3. 이 사람은 배우자 관계는 어떠한가?
4. 이 사람은 자식 관계는 어떠한가?

5. 이 사람은 부모형제 관계는 어떠한가?

6. 이 사람은 재물 관계는 어떠한가?

7. 이 사람은 건강 상태는 어떠한가?

이런 통변은 타로그림을 보고 종합적인 키워드를 활용하여 순간적으로 어휘를 만들어내야 한다.

1. 그림 속에 남여 성별을 보면 2장은 여자의 모습이고 1장은 남자의 모습이라 여성이다. 이것은 각자의 주관적인 판단이라 정답이 없다. 맞고 안맞고 이것 보다는 이런 식으로 해석하는 감각을 익혀야 하고 거기에 각자가 확신이 생기면 점괘는 발동하여 적중하게 되어 있다. **모습은** 실제로 여성으로 키가 상당이 큰데 세계카드 그림 속에 하체가 긴 모습이 연상이 된다. **성향은** 원만하고 보수적이며 분명한 성격이지만 소심한 면도 있다는 것은 세 장의 기본 키워드로 알 수 있다.

2. **직업은** 가까운 미래에 타로샵 창업을 계획하고 있는데 **교황.소드로** 알 수 있고 원래 직업은 여자를 상대하는데 얼굴이나 몸 전체 알몸을 상대하는 직업으로 여러 가지를 유추해볼 수 있는데 3장으로 이미지 리딩을 다양하게 연습해야 한다. 공개적으로는 실제 직업을 공개할 수 없지만 누구나 쉽게 짐

작해 볼 수 있다. 소드는 공부를 많이 했다면 전문직에 종사하지만 그렇지 못하면 기술직에 종사하는데 실제 기술을 가지고 있다.

3. **배우자 관계는** 결혼을 의미하는 **교황 카드가** 있어 결혼을 했지만 **소드 9의** 이미지를 보면 부부관계(잠자리)가 좋지 못하다는 것을 알 수 있고 남편의 모습은 교황으로 연상이 되어 열쇠 2개와 두 여자를 연상하여 성향과 여자 관계를 알 수 있다. 실제로 오래전 이혼을 하고 재혼은 하지 안했지만 이 여자의 드러나지 않는 남자들의 모습이 세계카드로 알 수 있다.

4. **자식 관계** 이미지 리딩을 하면 세계카드 타원형을 보면 자궁을 연상하여 자궁기능이 좋아 자식이 4명까지 보인다. 교황카드는 3명으로 보이고 소드 9는 낙태. 유산을 연상케 한다. 따라서 종합적으로 보면 **아들은 교황, 세계. 소드 9는 딸로** 많게는 자식이 남녀 포함 4명 아니면 3명이다. 결혼자 식은 아들로 교황이고 딸은 아직 미혼이라는 것은 소드 9이면 현재 스트레스를 받고 있다. 이런 식으로 입체적으로 분석라면 자식에 관한 것도 더 구체적으로 통변할 수 있다.

5. **부모형제 관계를 보면** 부모는 **교황카드로** 해석할 수 있으면 특히 부친이고 모친이 생존해 계신다면 누워 계시고 아니면 두분 다 저세상으로 가셨다는 것은 세계는 원래 집으로 돌아오는 것은 이 세상이 아니고 저세상이라 사람이 생을 마치면 원래 자리로 돌아가셨다고 하는 것이다. **형제관계는 소드 9를** 보고 힘든 형제가 있어 교황의 부모같은 심정으로 형제들과 원만하게 지내고 있다는 것을 세계카드로 알 수 있다.

6. **재물 관계는 교환 카드에서 보면** 열쇠 2개는 문서를 의미하며 붉은색은 물질 즉 돈과 인연이 있다고 보이며 **세계는** 어느정도 벌었지만 **소드 9를 보면** 본인은 제대로 쓰지도 못하고 괴로운 모습이라 아마 자식이나 주변사람에 게 금전 지출이 많았다고 볼 수 있다.

7. **건강 상태는** 병원에 가서 종합검사를 받고 있는 모습은 **세계 카드** 알몸이 보이며 **교황 카드는** 병원이나 의사를 의미하고 건강관리 지도를 받고 있으며 현재 병원에 가서 치료를 받고 있는 모습은 **소드 9를** 보고 알 수 있으며 **소드는** 주사나 침을 연상하니 주기적으로 병원에 가서 치료중이라는 것을 알 수 있다. 신체적으로 하체나 손. 어깨. 허리. 혈압 등을 체크해야 한다.

다음날 수강생이 또 약속을 어겼고 연락도 없었다. 결국 처음 문자를 보내기 전 타로리딩을 했던 것이 적중했다. 본인이 문자를 보낸 것은 형식적인 답장이었다는 것이 밝혀졌다.
오랜만에 이 분을 통하여 타로공부를 다시 점검을 했고 수강료 대신 이 분을 통해 제대로 타로공부를 하는 계기가 되어 이 분께 감사하다는 마음이 든다.

문 96] 당구 시합을 하는데 결과는 어떻게 나올까요?

타로수강생이 친구들과 당구 내기 시합을 하는데 이길 수 있는가 질문하여 타로 1장 뽑고 추가로 1장 더하여 2장의 타로카드가 나왔다.

처음에 뽑은 카드가 **심판카드가** 나왔다. 심판은 부활. 재도전, 좋은 소식 등의 키워드가 있다. 그런데 질문한 주체가 누구냐가 중요하다. 나팔을 부는 사람인지 관속에 3명 중에 한 사람인지 구분해야 한다. 나팔을 부는 사람은 승리자이고 관속에 있는 사람은 패배자인데 애매모호하여 다시 1장을 추가로 **펜타클 4가** 나왔다. 돈을 쥐고 있다. 따라서 질문자(타로수강생)가 승리할 수 있다고 말해주었다.

여기서 좀더 구체적으로 분석해보면 **손으로 잡고 있는 모습이** 당구 큐대로 보이고 **관의 모습은** 당구대이며 **관 안에 3명이 있어** 총 3명이 당구시합을 갖게 된다. 실제로 3명이었고 **입으로 불고 있는 모습은** 내기에서 이긴 돈으로 먹고 마시자는 분위기이다.

다음날 타로 수강생이 결과에 대해서 말하는데 처음에는 8만을 잃었고 다음날 다시 당구게임에서 12만원을 땄는데 친구 중 1명이 약속이 있어 회식하지 않아 결과적으로 4만원 이익이 생겼다고 하였다. **심판카드는** 처음에는 고전하다가 포기하지 않으면 좋은 결과를 내기 때문에 두 번의 시합이 효과가 있었던 것이다.

한번의 게임이었다면 **펜타클 4가** 나오지 않았을 것이다. 결과는 적중했지만 두 번의 게임을 생각하지 못한 것이다. 확실히 심판카드는 노력해야 이루어질 수 있는 결과이다. 따라서 부활, 칠전팔기 정신이 필요한 것이다.

펜타클 4는 당구시합이라는 상황에 따라 큰돈은 아니고 내가 가질수 있는 돈이다. 4만원 40만원을 유추할 수 있는데 금액이 실제로 4만원 이익이 된 것이다. 펜타클의 모습이 돈도 되지만 당구공을 연상할 수 있다. **펜타클 4의 모습은** 당구공에 집중력을 발휘하여 결과가 좋았던것이다. 이처럼 타로그림의 키워드와 이미지 물상대체를 통하여 종합적이며 유기적으로 연결시켜 분석하면 신출귀몰한 타로리딩 통변을 할 수 있는 것이다.

문 97] 전립선 비대증 완치 유무 (건강운)

50대 중반 남자가 찾아와 자신이 현재 전립선 비대증이 있는데 조금 좋아졌다가 최근 다시 증상이 악화되었는데 앞으로 완치될 수 있을까요?

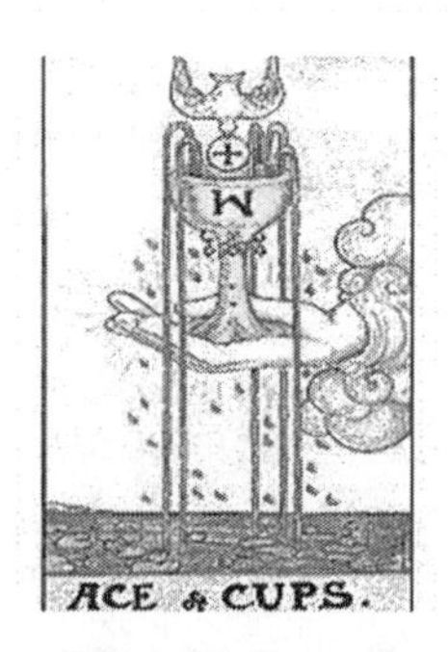

3 카드 배열법으로 질문 상황에 맞추어 배열 위치별 의미로 스토리를 만들어 통변해야 한다. 전립선 질환은 가족력이 있다는 것을 **펜타클 10을** 통해 알 수 있다. 질문자의 모습은 펜타클 10에서 앉아 있는 나이가 들어 보이는 사람이다. 직업적 환경은 오랫동안 앉아 있는 직업에 종사하고 있어 전립선 질환에 걸리기 쉽다.

10년이 넘게 만성질환이 되었으며 최근에(여름) 급속도로 나빠져 현재 약간 비싼 영양제를 복용하고 있다는 것을 **펜타클 10과 컵 에이스로** 알 수 있다. **컵 에이스에서 컵은** 약병과 방광을 나타내며 **물은** 소변을 나타내는데 **손바닥 위 컵받침은** 전립선인데 비대(확장)가 되어 방광에 소변이 가득차지 않고 빈뇨증상이 심하다는 것을 직관할 수 있다.

수술이 아닌 약을 복용하고 있다는 것은 **비둘기가 물고 있는 십자가 원형은**

알약으로 보인다. **펜타클은** 건강상태를 보는데 질문자가 전립선질환에 대해서 언급했기 때문에 **펜타클 10을** 부정적 측면의 건강차원 키워드를 유추해야 하는데 오래된 만성질환으로 생식기계통이 약하다는 것을 알 수 있다.

생식기 질환은 **컵 에이스 그림 아래 물을 보고** 소변기능을 나타낸다. 또한 **컵 에이스를 보고** 남자 화장실에서 소변을 보고 있는 물상으로 직감할 수 있다. 병의 회복의 진행속도는 **완즈 2를 보고** 판단 할 수 있다. 이제 치료단계에 들어간 상태인데 좋아졌다가 갑자기 상태가 안좋아진 것은 음식(과식)과 음주때문일 수도 있지만 오래된 만성 전립선비대증으로 약의 함량 미달일 수도 있다.

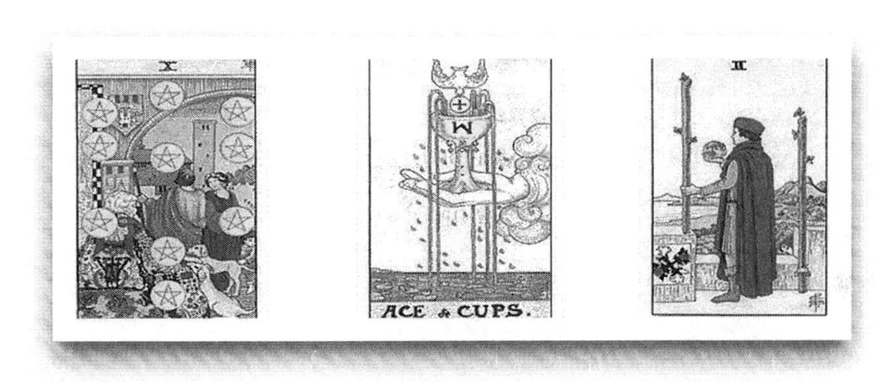

컵은 술잔으로 술을 절대 마셔서는 안된다는 부정적 측면으로 해석해야 한다. 전립선비대증을 치료하기 위해서는 좀더 적극적인 자세를 임해야 하며 현재 50% 정도의 효과를 보고 있지만 3개월에서 6개월 정도 내년 5월까지 약을 복용해야 한다는 것을 **완즈 2를** 보고 알 수 있다.

그리고 최대한 2년 정도 주의를 해야 한다. 만약 전립선이 완치되면 생식기능이 젊어지니 또한 **완즈 2는** 정력이 강화되는 것을 의미하니 회춘할 가능성이 높아진다. 여기서 **완즈 2는** 2가지 측면으로 치료를 할 수 있는데 약물

복용과 지압을 의미한다. 손이나 지압기구(완즈)를 활용하여 방광이나 전립선및 생식기를 치료한다.

펜타클 10에 앉아있는 나이 든 모습에서 펜타클 1개가 제일 아래부분 생식기 위치에 있는 상황은 생식기 질환을 의미하며 **완즈 2에** 당당하게 허리가 꼿꼿하게 서있는 젊은이 모습은 나이 든 모습에서 벗어났으니 건강해질 수 있고 회춘할 수 있다는 것을 나타낸다.

문 98] 퇴직. 이직운 운세파악 (직장운)

35세 미혼여성이 현재 직장을 다니는데 퇴직을 해야 하나 말아야 하나 고민이 많다고 하면서 3장을 뽑아 배열해 보니 아래와 같이 나왔다.

현재 질문자가 고민이 많다는 것이 **컵 7에서** 알 수 있다. 이 그림을 보고 올해 여름부터 직장 퇴직에 대해서 고민이 많았다고 하니 정말 그렇다고 한다. 정확히 '7월이다'고 하니 깜짝 놀란 표정이 짓으며 어떻게 타로를 보고 알 수 있는지 신기해 한다. 과거부터 현재까지 모습은 **컵 7로** 판단하며 현재상황은 **컵 7과 은둔자로** 판단한다.

은둔자는 신중하게 생각하는 모습이며 쉽게 퇴직을 하지 못하는 상황이다. 어둠에 등불을 켜고 있는 모습은 퇴직을 하더라도 작은 희망을 가지겠다는 것인데 직장을 다니면서 새로운 준비를 계획하고 것으로 혹시 공부(학교, 자격증)를 하려고 하냐고 하니 그렇다고 한다. 그러면 진행과정에 대한 결과를 **컵 6을** 보고 판단하는데 결과의 상황을 좀더 구체적으로 판단한다.

컵 6은 과거에 대한 회상이나 재도전. 재취업 등으로 작은 만족을 의미한다.

컵 7과 컵 6을 보고 컵의 성향인 직업을 판단한다. 여러 가지에 관심이 있지만 스마트폰에 들어간 디자인제작 앱을 개발하는 프로그램 제작에 관심이 있다는 것이다. 직업판단에서는 먼저 메이저 카드 **은둔자를 중심으로 컵의 성향으로 판단한다.**

은둔자는 밤늦게까지 연구를 해야 하며 **컵의 성향은** 감성이 필요한 창의력이 필요하며(**컵** 7) 어릴 적부터 관심을 갖고 있었던 미술을 했던 경험바탕(**컵** 6) 이 들어간 것이다. 그러나 너무 무리하게 욕심을 내면 안된다는 것이 **컵 7과 컵 6을** 통하여 알 수 있다. 처음에는 미약하게 시작하는 것은 **컵 6이** 되고 장기적으로 보아서는 전문성 직업이 될 수 있는 것은 **은둔자**이다.

당신은 지금 당장 퇴직하기 힘들며 현재 이 직장은 내년 6월 전까지 퇴직할 수 있으며 너무 무리하게 욕심을 내어 준비를 하면 이직하기 힘드니 조금만 준비하여 가볍게 이직을 하고 나서 꾸준히 공부를 해야 한다고 조언했다.

과거부터 지금까지 현재 직업의 상황은 **컵 7을** 통해 알 수 있는데 20대부터 지금까지 직장을 7 군데 이상 옮겨 다니면서 답답한 직장생활을 해왔고 이제부터는 좀더 전문성인 직업을 갖기 위해서는 공부를 해야 한다는 생각을 깊게 하고 있는 모습이 **은둔자**이다.

다시 초심의 어린 학생 마음으로 돌아가 새로운 시작을 하는 것이 **컵 6이다. 컵 6는** 학교나 학원. 새직장. 신입사원 등을 나타내기도 하며 배우는 학생들이 젊은 학생(직장이면 신입사원)들이 있는 곳이다. 공부과정은 2개월에서 6개월 정도 배우는 곳이다. 문제점은 은둔자의 등불을 들고 있는 손과 컵 6의 손의 모습에서 서로 등을 지고 다른쪽을 쳐다보고 있다는 것이다. 원래 계획했던 업종이 달라질 수 있다는 것을 암시하는데 현실과 이상이 다르다는 것이 **컵 7과 은둔자로** 판단할 수 있는 것이다.

[Tip] 여명실전타로는 무엇인가?

지방에서 상경하여 사주상담과 교육을 먼저 하다가 2006년도에 처음으로 타로점을 접한 후 누구에게 배운적도 없이 지인의 타로강의 노트를 대충 이해하고 바로 이대 사주카페에서 타로상담을 시작으로 한때는 타로도사로 이름을 날린 적이 있다.

타로이론을 완전 무시하고 오로지 순간 직감과 나만의 방식으로 점쟁이 흉내를 낸 것이 소문이 난 것이다. 유명세와는 달리 내 양심은 타로공부에 대한 애절함이 간절했다. 실제 현장에서 타로상담과 이론공부와는 많은 차이가 있어 오히려 부작용을 극복하는데 오랜 시간이 걸렸다.
수많은 실전 타로상담에서 얻은 경험과 타로이론공부를 접목시켜 타로이론의 學(학)을 먼저 완성시키고 術(술)을 응용했다. 대부분 정.역방향을 따지거나 아니면 정.역방향을 배제하고 정방향 위주로 보신 타로술사들도 많지만 여명(필자)은 방향과 관계없이 긍정과 부정으로 구분하여 타로 스토리를 전개하는 것이다.

질문 핵심내용에 따라 키워드를 응용하고 다양하게 입체적 통변을 하는 것은 이 세상 어디에도 이런 타로통변기법은 없다. 지금까지 어떤 타로강사들도 타로배열에서 전후 카드를 보고 정방향을 상황에 따라 부정적 측면으로 응용하여 강의하는 선생은 없다. 실전에 필요 없는 난해하고 방대한 이론을 강의한다고 타로 통변을 잘하는 것은 아니다.

과거 육효공부를 하면서 질문상황에 따라 달라지는 변화된 통변을 보고 타로통변에 응용한 것이다. 타로공부는 두 단계로 구분한다. 처음에는 타로 78장 키워드를 이해하고 질문에 따라 변화된 키워드 확장능력을 배양시켜야 한다. 이게 바로 번역의 직역과 의역차이다.

타로는 언어확장공부이며 학(學)이다. 이 단계는 누구나 객관적으로 추리할 수 영역이다. 이 단계는 누구든지 열심히 공부하면 완성할 수 있다. 그리고 마지막 단계는 타로그림을 보고 상징, 이미지. 물상 대체. 숫자 등을 활용하여 변측적으로 응용하는 술(術)이다.

이 단계는 주관적으로 추리할 수 영역이라 변화성이 많다. 따라서 이 단계는 각자의 능력에 따라 천차만별이다. 이처럼 타로뿐만 아니라 사주 등 모든 역학은 학과 술을 적용하는 것이자.

문 99] 애정운속에 다른 운세 파악하는 법

소개로 방문한 키가 큰 여성분이 현재 관심있는 남자가 있는데 인연이 될 수 있는가 라고 질문하지 않고 전체적인 자신의 애정운을 봐달라고 한다. 애매모호한 질문 속에는 질문자(여성)의 애정스타일을 먼저 파악해야 한다.

일단 7장의 배열속에서 메이저 카드인 **광대. 여황 카드가** 나왔고 마이너 카드인 **완즈와 소드 카드가** 나왔다. 지금까지 남자에게 고백을 받아 느낌이 오면 쉽게 사귀어 왔다는 것을 **완즈 에이스가** 알 수 있다. **완즈 에이스는** 연애를 열정적으로 사귀면 성적으로도 쉽게 이어진다. 현재 관심 있는 남자에게 관심이 컸지만 현재 포기했으나 아쉬움의 여운이 남와 있다는 것이 **완즈 에이스. 광대. 소드 7**으로 연결하여 통변할 수 있다. 결국 자신이 답답하기 때문에 찾아 온 것이다. 실제로 좋아하는 남자를 만난 적은 없고 인터넷 SNS상에서 서로 소통하다가 좋아하는 감정이 생겼다가 포기했지만 여전히 아쉬움이 있다고 한다.

미래 카드에 소드 여왕이라 안좋은 결과가 되며 새로운 사랑을 찾아 자신을 원하는 남자를 받아야 하는 **결과 카드로 여왕이 나왔다.** 만약 현재 좋아하는 남자를 상대로 결과를 본다면 여황을 부정적인 측면으로 해석하여 애정이 틀어진 것이다. **문제점으로 소드 왕**이 나왔는데 소드 왕은 합리적이고 이성적인 냉철한 성향인데 자신의 성격이 유순하다면 맺고 끊는 분명한 성향이 부족한 것이 문제점이라고 하니 맞다고 한다.

그렇다면 성격이 유순하다는 것을 무엇으로 판단해야 하냐면 메이저 카드인 **광대와 여황으로** 조합해서 판단할 수 있다. 순하고 현모양처형이며 모성애를 가진 여자로 광대와 여황의 긍정적인 측면으로 판단하지만 이런 성향은 애정의 출발점은 좋지만 결과인 **인물 카드 소드여왕, 소드왕이** 되어 배신을 당하거나 결과가 안좋아 신경을 건드리는 작용을 하게 된다.

실제로 갑자기 이유없이 남자가 잠수를 타버린 적도 있었고 항상 결과가 안좋았다고 한다. 이 질문자 여성은 사귀기 전 남자가 진심으로 다가오면 쉽게 받아주는 타입으로 밀당같은 것을 하지 못하는 성향이라는 것을 알 수 있다. 마스크착용으로 외모는 파악은 안되지만 키가 상당히 큰 이유는 **소드와 완즈의** 길쭉한 모습으로 직관할 수 있고 아직은 비만은 아니지만 출산 후 비만이 될 수 있는 체질이라는 것을 **여황으로** 유추 할수 있다.

연애를 한다면 임신 가능성이 내비치고 낙태하는 것은 **소드여왕으로** 직관할 수 있다. 출산 전 아니면 후에 자궁이 커서 속궁합이 잘 맞지 않는다는 것은 **소드 에이스로** 알 수 있으니 나중에 결혼할 남자가 나타나면 이 부분을 신경써야 한다.

현재 디자인 전공으로 이번 졸업을 앞두고 있는데 **디자인은 여황이나 광대. 소드 카드로** 판단할 수 있지만 특별히 손재주를 의미하는 **소드. 완즈 에이스로** 알 수 있다. 이처럼 질문자 자신은 남자 때문에 애정운이 궁금해서 왔지만 타로리더(타로마스터)는 타로배열 전 마음속으로 전체적으로 이 질문자의 모습을 파악해야겠다는 마음이 동하면 비록 애정운 뿐만 아니라 이처럼 다양하게 입체적으로 분석할 수 있다.

직업적으로 좀 더 분석하면 현재 디자인 실력은 아직 미숙하다는 것과 인턴과정을 이수한것을 **광대로** 알 수 있고 작은 회사에 합격했지만 포기한것도 **소드 7과 광대로** 판단할 수 있으며 앞으로 디자인계통에서 대성할 수 있다는 것은 **소드여왕과 여황으로** 예측할 수 있다. 다만 직업적으로 좀 더 냉철하고 이성적 판단으로 경쟁에서 이길 수 있다는 강한 추진력과 의지력을 키워야 한다고 조언해줄 수 있다.

문 100] 1년 정도 사귄 남친이 있는데 사이가 안좋아 이별하고 싶어요?

내담자 왈. 1년 정도 사귄 남친이 있는데 최근에 사이가 안좋아 이별을 하고 싶은데 잘 안되어 답답하다고 한다.

질문 내용을 잘 파악해야 한다. 내담자(질문자)는 질문을 대충 하기 때문에 타로술사는 질문 내용에 신중해야 하고 질문 요약을 잘해야 한다. 남친과 단순히 애정운에 대해서 보는 것이 아니고 이별할 수 있느냐에 핵심이 있는 것이다. **현재 모습에 소드 5번이** 나왔다. 이 카드 애정 키워드 부정적 측면을 보면 배신감. 사기를 치거나 당하다. 서로 논쟁하고 싸우며 이별하는 모습이다. 그렇다면 내담자 여성이 답답해서 왔다면 사기를 당하는 입장이고 남친은 사기를 치거나 배신하는 상황이라는 것을 알 수 있다.

과거 모습은 컵 9번이 나왔다. 이 카드는 처음에 좋아서 연인관계가 되었으니 긍정적인 측면과 부정적인 측면 두 가지 키워드로 분석해야 한다. 팔짱을 끼고 앉아 있는 모습은 남자이다. 컵은 여자이고 남자의 성향을 나타낸다. 여자들에게 원하는 것을 해주는 남자이고 자신감이 있으며 바람기가 많다. 감성적인 부분이 있고 술을 즐길 수 있는데 실제로는 술을 전혀 하지 못한다고 한다. 그렇다면 여자에게 집착하는 성향이 더 강할 수 있다. 사귀자 마자 실제 돈이 없는데도 여친에게 소형차를 선물했다고 한다. 또한 과거 여친들에게도 명품을 자주 선물했다고 한다.

이처럼 **컵 9번의 부정적 측면은** 자기도취에 빠져 있고 이해 타산적이고 불법을 저지르는 사기꾼 기질이 있다는 의미가 있다. 따라서 처음에는 컵 9번의 긍정적인 면을 먼저 통변하고 나중에 현재 소드 5번과 함께 부정적인 면으로 통변해야 한다. **남친의 속마음(여자를 바라보는 모습)은** 고위여사제가 나왔다. 애정운에서 **고위 여사제가** 나오면 실제로 현재 연애가 지속되기 어려운 상황이라는 의미가 있다. 현재 남친은 정신적으로 예민해져 있고 까다롭게 굴고 있다는 것을 알 수 있다. 또한 여친에게 지나치게 소극적이고 속마음이 내비치지 않고 있다. 이중적 마음으로 비밀이 많은 모습이다.

본인(내담자)의 속마음은 운명의 수레바퀴가 나왔다. 애정의 변화가 심하여 생각이 많고 복잡한 사람이고 자기자신을 컨트롤 하지 못한는 스타일이다. 이별을 하고 싶어도 결단을 내리지 못하고 스스로 답답한 상황을 만들고 있으며 이런 여자의 모습은 과거나 미래에 다른 남자를 만나도 마찬가지다. 이 여자의 이성에 대한 무의식(정신)세계를 알 수 있으며 또한 남친도 고위여사제로 이 남자의 무의식세계를 알 수 있다.

실제로 현재 서로 만나지 않고 있지만 생각이 나서 먼저 연락을 취한다고 한다. 따라서 **운명의 수레바퀴는** 운명적인 재결합의 의미도 있지만 부정적인 측면으로 서로 만나서는 안되는 나쁜 인연이라는 것을 알 수 있다. 여기까지는 누구나 공감할 수 있는 타로 통변이다.

그러나 **미래 카드에 황제가 나왔고 결과 카드에 소년 컵이 나왔다.** 이 타로 결과 정방향을 보고 어설프게 다시 재회할 수 있다고 누구든지 통변한다. 타로리딩을 하기전에 먼저 메이저 카드와 마이너 숫자카드. 인물(궁정)카드를 구분을 하여 분석해야 한다. **황제 카드를 보면** 두 사람의 변화된 모습이 아니라 지금까지 해왔던 애정스타일이 바뀌지 않는 모습이고 이제는 숨겨져 있던 마음이 행동으로 본심이 나타난다. 애정운에서 **황제 카드가** 나오면 결혼을 제외하고는 좋은 경우가 별로 없다. 따라서 완전한 이별을 역으로 유추할 수 있다.

결과 카드인 소년 컵의 원래 의미는 시작의 단계로 카드 1장을 단순하게 리딩하면 다시 연애가 진행된다고 오해할 수 있다. 그러나 **황제 카드와 소드 5번 카드를 연결하면** 연애가 다시 시작하는 것이 아니라 이별의 프로포즈(제안)로 통변해야 한다. **조언이나 문제점으로 펜타클 10번이 나왔다**. 이 카드도 입체적으로 리딩을 해야 한다.

문제점으로 펜타클 10번은 이별수 라는 키워드가 있으며 행복이 깨진 상태이고 불안정하고 가정 즉. 두 사람의 집안은 서로 맞지 않는 불행한 관계라는 것을 알 수 있다. 조**언으로는 펜타클은** 현실적 환경을 의미하며 **펜타클 10번은** 가정이나 가족, 결혼 등을 의미하는데 현실적 환경이 남친과 어울리지 않으며 만약 두 사람이 죽도록 사랑하여도 가족의 반대에 부딪혀 인정받지 못하는 연인관계로 가다고 이별할 수 있다고 조언할 수 있다.

여기까지 7카드 배열에 따른 키워드 통변이고 그 다음 단계는 질문에 따라 직관리딩 통변이 들어간다. 현재 **소드 5번을 보고** 두 사람은 올 가을 9.10.11월에 이별수가 있다고 말하니 10월에 크게 싸워 이별을 했지만 다시 연락을 하고 있다고 한다. 두 사람의 인연을 맺을 수 있는 기간은 9~10개월인데 얼마나 사귀었냐고 물어보니 만 1년이 됐다고 한다.

정확히 여름 6~7월에 이별을 해야 하는데 두 사람의 성향으로 미루어지고 있다고 하니 여름에 남친이 자신에게 크게 거짓사기를 쳐서 충격을 받았지만 헤어지지 못했다고 한다. 그 이후로 신뢰감이 완전 바닥이 났다고 한다.

남친이 현재 군대입대문제로 고민이 많아 병역면제가 안될 것 같아 제정신이 아니라고 하니 **고위여사제. 운명의 수레바퀴. 황제 카드와 소년 컵을 보고** 남친은 허리나 다리 문제로 병원에 가서 진단서를 재발부하지만 병역면제는 안되고 공익근무로 대체할 가능성이 있다고 하였다.

그리고 **황제 카드와 소년 컵을 보고** 두 사람은 서로 합의하에 이별할 수 없으니 결혼할 수 있는 인연이 안되니 본인 스스로 정리하는 게 좋다고 하면서 공무원 시험공부에 더 신경을 써야 하며(**운명의 수레바퀴**) 공무원이 되면(**황제**) 이 남친의 존재감이 허물어진다고(**소년 컵**) 조언을 해주었다.

문 101] 직장운과 건강운 문의

45세 직장여성이 찾아와 직장운과 건강운에 대해서 질문하였다. 먼저 직장운으로 7 카드 배열하고 나중에 3 카드 배열로 건강운을 보았다.

[직장운]

현재 이 직장여성은 직장때문에 스트레스를 많이 받고 있다는 것을 **고위여사제와 소드 2를** 보고 알 수 있다. 이전부터 퇴직을 하려는 마음이 강했다는 것을 **완즈 6에** 나타나 있다. 현재 다니고 있는 직장은 2년 정도 되었다고 한다. 그럼 왜 그런 마음을 가지고 있는 것은 판단해야 하는데 **소드 왕을** 보고 알 수 있다. **소드 왕은** 사장(남자)의 모습이다. 냉정하고 확고한 자기 성향을 가지고 있으며 따뜻하고 배려심 있는 감성이 전혀 없다. 이 직장여성도 마찬가지다.

직원은 자기 혼자이고 사장과 단둘이서 근무하는데 사무적인 대화 이외는 말을 전혀 하지 않는다고 한다. **고위여사제와 소드 왕은** 서로 정면만 쳐다보고 있고 서로 성향이 맞지 않는 것을 **소드 3를** 보고 일 수 있다. 그러면 사장이 직원을 교체하지 않는 것은 사장의 성향이 감정에 치우치지 않고 이성적이고 계산적이라는 것이다.

직장업무는 소방관련쪽의 영업을 사장이 하고 본인은 경리사무업무를 담당한다고 한다. 사장이 열심히 영업을 하고 월급도 밀리지 않고 꼬박꼬박 주지만 매출이 약하여 폐업도 할 수 있을 것 같다고 한다. 그래서 내년이 고비라고 말했는데 그 이유는 **소드 3에** 폐업을 하여 직장을 그만둔다는 의미가 있고 **마법사의** 부정적인 측면으로 보기 때문이다.

조언으로 당신이 직장을 폐업하기 전까지 계속 다니고 싶으면 사장과 소통하는 것 밖에 없고 가정적으로는 남편과 소통이다. 그런데 남편은 참고 다니라고 하면서 맞벌이를 계속 해주기를 바란다고 하니 답답하다고 한다. 이런 조언은 **완즈 4를** 보고 판단하는 것이다. 또한 질문자의 직장에 대한 해결방안은 완즈 성향을 가져야 하는 것인데 단순하게 적극적으로 행동(퇴직)으로 옮겨야 하는데 그런 성향이 안되고 속으로 감추는 스타일이다.

그러면 이 질문자의 직장 진로는 어떤 쪽인가를 알아보면 **고위여사제와 마법사와 소드.완즈를 보고** 종합적으로 판단한다. 전문 자격증으로 소지한 업무를 가지고 활동하는 것인데 과거 세무회계 업무쪽에서 오랫동안 근무했다고 한다. 자식이 없다고 했는데 여자의 생식기를 나타내는 **고위여사제와 소드 3를** 보고 알 수 있다. 남편이 있어도 서로 가치관이 맞지 않으니 외로운 여자다. 남편은 자기밖에 모르는 이기적인 남편이라고 한다.

고위여사제는 서로 가치관이 맞아야 결혼생활이 무난한 것이다. 이 여자가 성격이 강했다면 이혼을 했거나 아니면 혼자시는 독신녀로 가야 하는데 그것은 **고위여사제와 소드성향으로** 알 수 있다. **소드 2가** 강하게 나오면 자기 틀을 절대 바꾸지 않는 것이고 약하게 나오면 우유부단하여 소심해지나 예민해지는 것은 마찬가지다.

[건강운]

건강운을 보는데 여러 가지 배열법이 있는데 가볍게 볼때는 3 카드 배열로 참고한다. 눈에 띄는 것이 메이저 카드 **죽음카드이다.** 현재 질병이 있다고 하면 상당히 안좋은 것이다. 그러나 질병이 없다면 다양하게 유추해야 하는데 집안에 질병쪽으로 가족력이 있다면 당신도 받을 수 있으니 조심해야 한다고 하니 질문자 모친이 폐암으로 사망했다고 한다. 모친이 수술과 투병하다가 저세상으로 떠났다는 것이 이 질문자 3 카드 **펜타클 여왕(모친). 소드 5(수술). 죽음(사망)으로** 바로 나타나 버린다. 어쩌면 모친의 영혼이 저 세상으로 가지 못하고 한이 맺혀 있다는 생각을 해본다.

아파서 병원가면 늦으니 미리 자주 병원에 다니면서 건강관리를 꼼꼼하게 하는 것이 오래사는 비결이라고 조언해주었다. 당신에게는 어떤 오장육부가 약하냐가 중요한것이 아니라 아프면 큰병으로 악화될 수 있으니 **병원.의사(죽음카드)**선택도 큰 병원이 전문의를 찾아가야 하며 남편도 같이 건강관리를 해야 된다. 왜냐하면 **죽음카드가** 남편이 될 수 있으며 미망인의 모습이 펜타클 여왕으로 비추고 있기 때문이다. 결론적으로 건강운을 보는데 **죽음카드가 뜨면** 병이 있으면 마지막 준비(저승사자)를 해야 하고 건강하면 지금까지 건강에 대한 가치관을 파격적으로 변신하여 관리해야 한다는 것이다. 희귀병이나 암질환은 가족력(유전.조상업)의 영향을 많이 받는다.

[Tip] 프로 점술가로 가는 지름길

타로 질문자 현재 상황의 정보 파악에 따라 타로카드 의미해석이 완전히 달라질 수 있다는 것을 항상 염두에 두어야 한다. 이것이 긍정과 부정적인 측면으로 자유자재로 돌려야 하는 것이다. 실전 타로 연습을 많이 하여 상황에 따라 여러 가지로 변수적인 통변 훈련을 하는 것이 프로 점술가로 가는 지름길이다. 78장 타로카드는 하나의 점치는 수단 도구에 불가하다. 무슨 타로카드를 사용하는 것이 중요한 것이 아니다. 자신에게 인연이 되는 타로카드를 결정하면 하나의 카드로 친숙해질 때까지 교감하면서 질문에 따른 타로리딩을 다양하게 확장시켜 스토리를 전개시키면서 직관력을 키워야 한다.

[문 102] 동거하고 있는 남친과 애정이 지속할 수 있나요?

미모의 여성이 방문하여 동거하고 있는 남자가 있는데 앞으로 두 사람이 애정이 지속할 수 있냐고 물어본다.

동거하고 있다는 것이 **컵 10과 펜타클 에이스를** 통하여 알 수 있다. 그런데 질문자 여성의 모습이 **완즈 9를** 보고 고군분투하고 있는 모습이다. 거기에 비해 동거하고 있는 남자의 모습은 행복한 가정의 모습을 하고 있다. 그래서 **과거 카드인 컵 3를 보니** 두 사람 사이에 다른 여자가 보인다. 그래서 질문자에게 혹시 두 사람 사이에 여자가 있냐고 물어 보았다.

원래 남자가 유부남이었는데 별거한 상태에서 자기와 만났다고 한다. 결국 이혼을 한 뒤 이 남자와 자신이 동거를 시작했다고 한다. 그런데 이혼하기 전 부인이 간통으로 인하여 가정이 파탄이 났다고 자신을 억지로 민사 소송을 걸어 진행중이라고 한다. 문제는 자식까지도 연결되어 있어서 동거하고 있는 자신의 존재를 남자가족이나 남자의 무관심으로 자신이 바보가 되는 느낌이라고 한다. 아무리 동거한 남자와 대화를 해도 신뢰할 수 없어서 이제는 동거생활을 끝내려고 한다는 것이다.

펜타클 에이스는 현재 상황으로 새로운 시작을 의미한다. 따라서 동거생활을 정리하려는 부정적 측면으로 해석한다. 문제는 남자의 답답한 성향을 가지고 있는 **펜타클 기사**이다. 원래는 여자가 많고 바람둥이 기질이 많지만 펜타클 기사가 보인다는 것은 동거하고 있는 여자에게 권태기가 왔다는 것이다. 여기서 유일한 메이저 카드 **심판카드가 나왔다**.

심판의 의미는 시간이 걸린다. 노력해야 한다. 남자가 여자를 확실하게 표현해야 한다는 것이다. **심판카드는** 부활의 의미도 있고 재결합이라는 뜻도 있다. 어설픈 이별은 확실히 정리가 되지 않는다는 것을 암시한다.

질문자인 여자 마음도 스스로 확실히 이 남자를 정리하지 못하고 있으며 주변에 남자들이 많다는 것이 **완즈 9를** 통하여 알 수 있다. 따라서 완전이별보다는 동거생활을 정리하고 떨어져 있는 상황에서 서로 관계를 확인해가는 것이 좋다고 조언을 해주었다.

배열된 타로그림만 보면 두 사람의 애정에 문제가 없으면 만약 헤어져도 다시 재결합한다고 쉽게 통변 할 수 있다. 그러나 동거생활도 부부생활이나 마찬가지이기 때문에 남자의 마음상태가 가정적이지 못하고 전 부인과 자식과의 연결고리를 놓치지 못하며 **컵 10에** 나오는 자식이 **컵 3과 컵 왕과** 연결되어 있다.

이혼은 했지만 전 부인이 자식을 양육하니 인연의 고리가 깊어서 현재 동거하고 있는 이 여자와는 결국 한계점에 이르게 된다. 직관으로 보면 **컵 왕**의 이미지는 동거하고 있는 남자는 자신의 애정이나 환경을 바뀌지 못하고 유지하고 있는 모습이라 원래 바람둥이였다면 또 새로운 여자를 만나는 것이다. 따라서 남자 쪽에서 진심으로 동거하고 있는 여자에게 노력하는 모습을 보여야 두 사람 관계가 살아날 수 있는데 실제로는 남자가 소심하게 나오니 이 두 사람의 애정은 이어가기가 힘들다는 것이다. 이 배열법에서 핵심카드인 **심판 카드는** 한쪽(남자)이 노력해야 애정이 유지되는 것이다.

따라서 현재 두 사람이 서로 이해하지 못하고 대화가 안되는 상황에서는 이 **심판 카드가** 나온다면 이별로 판단하는 것이다. 질문자의 현재 상황을 고려하지 않고 타로 배열의 원래 의미만 가지고 통변하면 적중률이 그만큼 떨어진다.

[문103] 최근에 만난 남자와 인연이 될 수 있을까요?

단골고객 여성이 찾아와 3일전에 남자를 처음 만났는데 인연이 될 수 있는지 궁금하다고 한다.

[질문내용파악]

1. 3일 전 소개팅 남자 만남-> 처음 만나는 시점이 가까운 최근 시점 파악
2. 인연이 될 수 있나?-> 질문자 심리상태는 기대 심리 파악

여성분이 며칠전에 새로운 남자를 만났는데 인연이 될 수 있냐고 질문하는 것은 두 사람중에 한 사람이 호감이 있던지 아니면 두 사람이 서로 호감을 가지고 있던지 하는 경우이다. 따라서 두 사람의 관계에 대해서 집중적으로 파악을 해야지 질문자의 추가질문 없는데도 상담자가 두 사람 이외의 관계 없는 내용을 먼저 언급해서는 안 된다.

[배열법]

배열법은 질문내용에 따라 다양하게 만들 수 있다. 어느정도 스토리를 전개하기 위해서는 5장, 7장. 9장 등을 선택할 수 있고 이런 배열에 따른 통변이 약한 타로상담자는 질문자와 서로 문답속에서 1장씩 뽑아가면서 통변할 수 있는데 이런 경우는 기본 배열법 통변 후 질문자의 추가질문이 있을 시 하는 경우가 더 신뢰감이 있는 방법이다. 타로초보자는 반드시 배열법에 따른 통변연습을 해야 한다. 이 과정을 거치지 않고 대충 1~2장 카드로만 해석하면 전체적인 흐름을 파악하기 힘들어 심층분석이 어렵다.

1. 과거 /현재/ 미래
2. 시작/ 과정/결과
3. 현재상황/ 진행/ 결과
4. 나의 모습 /남자의 모습/ 결과
5. 내가 남자를 바라보는 마음/ 남자가 나를 바라보는 마음
6. 문제점/조언

대충 이런 배열에 따른 의미를 가지고 타로배열법을 전개하니 스스로 선택하여 스토리를 만든다.

3 카드 배열

5 카드 배열

7 카드 배열

9 카드 배열

[7카드 타로 배열]

위 타로그림이 다이아몬드 형태로 나왔지만 각자 주관적 방식으로 전개한다. 필자는 **만나는 시점(과거)과 현재상황을 광대(바보). 펜타클 8을 보고** 판단한다. 2장의 그림을 보고 두 사람이 3일 전에 처음 만나는 모습과 현재 모습을 상상해 본다. 처음 만났을때 모습으로 광대는 새로운 시작을 의미한다. 두 사람이 만났을때 애정 모습은 어설프고 애정이 약하다. 모든 타로카드는 정/역방향 의미가 아닌 긍정/부정의 의미로 전후관계를 보고 판단한다. 이러한 배열해석은 필자가 오랜 임상경험으로 최초로 연구한 것이다.

광대의 의미는 새로운 시작이라는 것은 이해하겠는데 왜 애정모습이 어설프다고 부정적 의미로 분석한 것은 또 다른 **펜타클** 8 그림으로 판단한 것이다. 따라서 2장의 타로 조합으로 키워드선택을 응용해야 한다. **펜타클의 성향은** 어느 정도 노력을 해야만 결실을 맺는 카드이다. 질문자인 여성의 현재 상황은 남성을 어느 정도 만나보고 싶은 마음이 있다.

그러면 여기서 또 궁금한 것은 광대는 누구이고 펜타클 8 속에 나온 사람은 누구인가? 이다. 타로그림 속에는 여러가지 키워드가 있다. 기본키워드와 질문상황에 맞게 응용하는 키워드가 있다. 고급통변을 할 수록 각자가 직관적으로 응용하는 키워드가 만들어지니 타로 초급자는 기본키워드에 충실하면서 서서히 확장시켜 나가야 한다.

현재 남자의 모습은 소년 펜타클이다. 이 또한 배열의 위치에 따른 의미도 주관적으로 설정하는 것이니 각자 본인들이 판단하는 것이다. **소년 펜타클은** 성실하고 안정적인 직장생활을 하고 있으며 여자에게 호감을 갖고 있는 모습이다. 또한 현실적이고 안정적인 애정을 추구하며 결혼을 전제로 하는 만남을 갖고 싶어하는 스타일이다. **현재 여자의 모습은 펜타클 5가 나왔다.** 누가 보아도 펜타클 5는 부정적 의미가 강하니 여명(필자)이 이 남자보다 당신이 별로 맘에 안드냐고 물어보니 그렇지 않고 나쁘지 않다고 한다.

그럼 이 카드를 어떻게 해석해야 하냐면 이 여성이 남자에게 급하게 애정을 요구하거나 애정적인 어필이 약하다고 볼 수 있으며 아니면 남자쪽에서 애정적으로 여자를 힘들게 할 수 있는 요소가 있다고 말할 수 있다. 다시 지금까지 내용을 다시 요약하면 만난지 얼마 안되어 서로 사랑에 빠지지 않는 상태이며 여자는 호감은 있지만 남자를 이해하는 마음을 가져야 하는데 조급한 마음으로 남자의 애정표현에 불만을 가질 수 있는 심리이다.

실제로 질문자가 말하기를 남자는 1살 연상으로 연하는 아니지만 그렇다고 연상같은 스타일도 아니라고 한다.**(펜타클 소년)** 남자가 전에 사기를 당하여 채무관계를 이제야 해결했다고 한다. 따라서 지금은 직장은 연구기술직**(펜타클 8)**으로 좋지만 경제적 여유가 아직은 없다고 한다. **(펜타클 소년, 펜카클 5)** 결국 남자쪽의 현실적인 상황을 이해해주고 여자쪽에서 시간을 갖고 만남을 지속하는 것이 핵심이다. **펜타클 5는** 부정적 측면으로 경제적 어려움이나 비밀스런 애정이 있는 것으로 파악할 수 있으나 이 여자분은 전혀 연애를 못하는 타입이라 이 남자를 의심할 수 있는데 남자는 오랫동안 여자를 사귄 적이 없다고는 하나 좀더 지켜 보고 판단하는 해야 한다. 왜냐하면 펜타클을 외면하는 모습이 현재 펜타클 모습과 달라지기 때문이다.

앞으로 진행과정이나 미래시점으로는 카드가 **완즈 에이스이고 결과는 연인 카드가 나왔다.** 이제서야 긍정적으로 연애를 시작할 수 있는 모습이 보이고 두 남녀의 한몸이 되어 진정 사랑하는 남녀모습이다. 그러나 조언이나 문제점으로 **완즈 여왕이** 나왔는데 애정에 대한 확신이 생기면 적극적으로 애정표현을 해야 하며 불안하고 뭔가 처음과 다른 애정이 불안하거나 거짓이 있으면 과감하게 정리해야 한다. 결혼보다는 연애로만 만족해야 하는 분위기가 있는데 결혼은 현실이고 안정이라 펜타클의 성향인데 외면하는 모습이고 연애쪽의 느낌은 완즈나 연인. 광대의 성향이다.

따라서 남자가 결혼을 전제로 사귀고 싶다고 하더라도 연애를 해봐야 결정할 수 있는 상황이라 2~3번을 만나보면 분위기 파악을 할 수 있다는 것을 **펜타클 8로** 알 수 있으며 좀더 여자나 남자가 적극적으로 애정표현을 하고 리더를 하며 급속도로 두 사람이 애정이 감정이 커서 연애를 할 수 있다는 것을 **완즈 여왕을** 통해서 판단할 수 있다. 그러나 상대를 의심하고 소극적인 자세로 불안하면 금방 식을 수 있다는 것은 **광대 카드로** 알 수 있다.

타로카드 배열에 따른 위치별 의미도 때로는 달라질 수 있데 과거 광대 카드가 결과의 의미로도 해석할 수 있다. 이처럼 처음에 타로공부할때는 배열에 따른 순서에 입각하여 해석하지만 나중에는 전체적으로 타로를 분석하는 안목을 지녀야 한다. 7장의 카드 중에 연애감정이나 쉽게 잘하는 카드는 **광대.연인.완즈가** 된다. 그러나 단골고객(여성)은 전혀 남자를 제대로 사귄 적이 없으니 해당이 안되지만 소개로 만난 남자는 과거 여자문제가 많이 있었다고 판단할 수 있다.

연애보다는 결혼이나 조건을 따져 안정적인 교제를 선호하는 카드는 **펜타클**이다. 또한 결혼은 두 사람의 관계도 중요하지만 집안문제도 따져 보아야 하는데 **완즈 여왕은** 양쪽 집안일 수도 있으며 부모일 수도 있어 여기서 방해하는 작용하면 두 사람의 관계는 깨질 수 있다. **미래. 결과가 완즈에이스와 연인 카드가** 나왔다고 무조건 두 사람은 연애운이 좋다고 단정짓으면 안된다. 항상 전후 카드를 다 살펴서 종합적으로 통변해야 한다.

메이저 카드 **광대와 연인을** 조합하고 **펜타클 3장과 완즈** 2장을 조합하여 입체적으로 분석해야 한다. 긍정적인 측면으로 본다면 두 사람의 관계가 급속도로 좋아져 지금까지 풀리지 않았던 애정이 살아나 집안(부모)의 도움으로 결혼까지 이어갈 수 있는 시작의 카드가 **완즈 소년과 완즈 에이스에 의해 완즈 여왕으로** 결론이 나와 버린다.

그러나 부정적인 측면으로 본다면 소개로 두 사람이 만났지만 서로 가치관과 현실적인 문제에 부딪히고 부모나 집안 분위기가 서로 맞지 않아 현실을 받아들이지 못하고 한쪽이 거부하고 떠나는 모습이 **펜타클 5와 광대, 완즈 여왕을** 통해서 분석할 수 있다. 빠르면 2월 3월에 끝날 수 있고 길어지면 5월에 두 사람 관계가 정리된다.

이처럼 현재 7장 카드 배열은 이제 두 사람 관계가 시작단계지만 완전 인연이 없는 사람이 아니기 때문에 좀더 지켜 보아야 한다는 메시지가 담겨져 있다. 따라서 3번 정도 만나면 어느 정도 두 사람의 분위기 파악은 할 수 있고 결혼보다는 연애의 감정으로 먼저 신경을 쓰라고 조언해주고 상담을 마무리 했다.

[타로 Tip]

실제 현장에서 타로점 애정운이나 연애운 상담은 이런 식으로 구체적으로 상담할려면 상당한 긴 시간과 상담요금을 높게 책정할 수 밖에 없다. 제대로 상담을 하면 타로상담사의 에너지가 너무 소모되고 힘들다. 타로에 관심있고 배워서 사주가 아닌 순수 타로전문샵을 운영하기 위해서는 다른 타로상담사와 경쟁력이 있고 **차별화된 타로상담기법을 활용해야 하고**_또한 고객연령층, 장소분위기 등을 선택하여 광고 홍보 투자가 필수이다.

[문104] 3 카드 배열 사업운세 파악

60세의 한 여성이 찾아와 여러 운세를 보고 나서 앞으로 사업운에 대해서 궁금하다고 하여 3카드 배열을 하였다.

타로공부 초보자가 처음 공부할때는 배열에 위치에 따라 시작 과정 결과 식으로 순서대로 리딩을 하지만 어느 정도 숙달이 되면 이 또한 원칙도 다양하게 바뀔 수 있다. 이 타로 배열을 보고 결과에 악마가 나왔다고 해서 무조건 사업운이 없다고 하면 안된다. 이 **악마 카드는** 일반적인 사업이 아니라 주로 불법적이고 떳떳하지 못한 직업이나 밤에 활동하는 유흥. 퇴폐업종 등에서는 금전운이 좋은 카드가 악마인 것이다.

따라서 사업을 이런 쪽에서 종사하냐고 물어 보아야 한다. 실제 이 여성분은 과거 아가씨 40명을 데리고 유흥업에 종사했던 대모였다고 한다. 하루에 많이 벌때는 2천만까지도 벌었다고 한다. 그런데 현재 지금은 거지가 되어 전혀 힘을 쓰지 못하고 있는 상황이라는 것은 **소드 8를** 통하여 알 수 있다. 그러나 **펜타클 에이스는** 사업을 시작할 수 있다는 것을 말하며, **소드 8는** 지금까지 사업적으로 묶여 있는 상황인데 1~2년 정도 지나면 사업운이 좋아져 대박이 날 수 있다고 통변할 수 있다.

지금까지 이 여성이 살아온 모습을 **소드 8를** 통하여 알 수 있는데 스스로 상황판단을 못하고 소심한 성향이며 답답한 모습인데 어찌 이런 성향으로 악마의 소굴인 유흥업쪽에서 대모로 군림했다는 것이 아이러니 하다. 보통 어릴때부터 업소 아가씨로 출발하지만 실제 본인은 40대부터 처음으로 경험도 없이 유흥업에 종사하여 바로 대박이 났다고 한다.

악마의 의미는 서로 이해관계가 될 때는 간 쓸개라도 줄것처럼 사랑과 의리를 주지만 서로 적대관계나 손해가 되면 하루아침에 원수가 되거나 뒤통수를 치는 의미가 악마이다. 이런 곳이 유흥업이나 불법. 퇴폐업종. 사이비 종교. 무속, 역술 등이다. 실제로 점집에 3년 동안 다니면서 돈을 무수히 갖다 바쳤으나 결과는 망한 것이다.

이 질문 여성분은 다시 재기할 수 있느냐가 궁금하다고 하니 당신은 유흥업이 천직이고 이것밖에 할것이 없으며 멀지 않아 다시 재기해서 성공할 수 있다고 조언해 주었다. **소드 8를** 직관하면 8년 동안 죽도록 힘들었으며 빠르면 8개월 아니면 2년 안에 새로운 시작을 할 수 있으며, **펜타클 에이스**를 직관하면 당신이 생각지 않는 새로운 장소. 귀인이 나타나 돈이나 오픈하는 가게가 보이며, **악마를** 직관하면 손님(남자)와 아가씨(종업원)을 통제하며 관리하는 밤의 여왕(악마)으로 재기하게 된다.

[문105] 6 카드 배열 취업운세 파악

부녀지간에 사무실 내방하여 부친이 딸의 2금융기관 최종 합격운을 물어 본다. 이런 경우에는 당사자 딸이 타로 3장을 뽑고 부친이 3장을 뽑아 총 6장 배열로 합격운을 통변하였다.

[**당사자 딸**]

제일 먼저 **완즈 소년이** 나왔다. **완즈 소년은** 새로운 시작이나 미숙한 시작을 나타낸다. 과거에서 현재까지 상황을 보는데 특출하게 뛰어난 실력은 부족하다. 다행히 서류와 필기시험을 합격하고 최종 면접에서 8명 중에서 2명을 합격시킨다고 하는데 **완즈 7를 보면** 치열한 경쟁을 하는 모습인데 면접에 참여한 경쟁자들 사이에서 합격할 수 있는 것인지 의문이 든다.

이렇게 완즈 성향 2장의 타로를 보고 서로 연계를 시켜야 한다. **완즈 7를** 보고 합격할 수 있다는 긍정적 측면으로 본다면 완즈 소년보다는 좀더 확실한 여왕이나 왕의 인물카드가 나와야 한다. 따라서 완즈 7를 보고 8명 중에 7명이 치열한 경쟁을 벌이고 있는데 2명이 아니라 4명을 뽑는다면 합격할 수 있다는 것을 직관리딩으로 알 수 있다.

그렇다면 **컵 에이스를** 긍정적으로 보면 합격할 수 있다고 누구든지 공감하겠지만 부정적으로 본다면 면접관들이 보기에는 강력한 끌림이 부족하다고 볼 수 있다. 그리고 남자 1명과 여자 1명 총 2명을 합격시킨다고 하면 완즈 소년은 남자 합격자가 되고 컵 에이스는 여자 합격자가 된다. 강력한 여자 경쟁자에게 밀린다고 볼 수 있다. 따라서 8명 중에 여자 1명을 뽑는데 강력한 여자 경쟁자가 있다는 것이다.

[당사자 부친]

악마 카드가 나왔다. 딸의 합격운을 보는데 악마가 나오면 면접에서 비정상적인 뒷거래가 있을 수 있다고 판단할 수도 있다. **컵 6을** 부정적 측면으로 보면 과거를 끊고 새출발을 해야 한다는 의미가 있다. 그리고 서류와 필기시험까지 통과하고 마지막 통과는 중단된다는 의미로 통변할 수 있다. **악마카드가** 핵심 카드라 이 악마는 달콤한 유혹이라 **컵 6를** 순수한 실력으로만 통과되지 않음을 알 수 있다.

소드 7은 일부는 성공하고 나머지는 실패한다는 의미가 있다. 직관으로 보면 소드 2개를 아쉬워 쳐다보고 있으니 면접관 두 사람에게 어필하지 못하고 있거나 자기보다 점수가 잘 나온 경쟁자가두 사람이 있다는 것이다. **소드 7를** 부정적으로 본다면 실패. 무리한 시작으로 전략적으로 실패한다는 키워드가 있다.
조언으로 두 사람에게 합격을 기대하지 말라고 하면서 혹시 해당 기관에 인맥이 있냐고 하니 전혀 그런 사람이 없다고 하며 집 근처에 가까워 한번 응시한 것이 필기까지 합격을 했다고 한다. 4명을 합격시키면 입사할 수 있는데 남자 1명 여자 1명만 합격시킨다면 힘들다고 결론 내리고 마무리 상담을 하였다.
두 사람을 보내고 나서 다시 1장을 뽑아 보니 **바보(광대)카드가** 나왔다. 현재상황을 벗어나 다시 새로운 시작이니 다른 취업 응시를 준비를 해야 한다는 결론을 내릴 수 있다. 타로상담에 합격운을 보는 것이 제일 어렵다. 무조건 카드자체가 좋다고 합격한다고 보면 실수를 많이 하게 된다. 일단 질문자의 기본 실력이 어느 정도인지 판단이 되어야 하고 가고자 하는 학교나 회사가 자신의 기본실력과 어느 정도 균형을 이루고 있는지 정보파악이 되어야 한다.
기본실력이 탄탄하면 어지간한 곳은 타로카드를 긍정적 측면으로 보아 합격할 수 있다. 기본실력이 없는데 무리한 곳을 응시하면 좋은 타로카드가 나와 긍정적으로 보면 불합격한다. 이런 상황을 극복하기 위해서는 타로카드 긍정.부정적 측면으로 자유롭게 돌리는 것이 실력이다.

오늘 부친에게 연락이 왔는데 딸이 불합격하여 열 받아 술을 마시고 있다고 한다. 타로공부를 제대로 하기 위해서는 실전에서 배열타로를 기억하여 타로실전노트에 기입해 놓아 사실 결과 확인을 하여 무엇이 맞고 틀린 것 인가를 확인해야 제대로 실력이 배가 된다. 그렇지 않고 그때마다 결과 확인 없이 입으로만 확신 상담하는 타로리더는 각성해보기 바란다.

[문 106] 3 카드 배열 입체적 분석

타로수강생 지인이 수십년 전 첫사랑 남자를 만나고 난 후 남자를 만난 본인이 3장을 뽑았다고 한다. 두 사람의 관계에 대해서 입체적 분석을 해보자.

아래 배열법 위치에 따라 입체적으로 스토리를 만들어야 한다. 이런 배열법을 단순히 시작 과정 결과 식으로 분석해서는 안되고 아래 내용과 같이 좀 더 구체적으로 분석해야 한다.

현재상황
정신상태
준비
일의 시작
누가

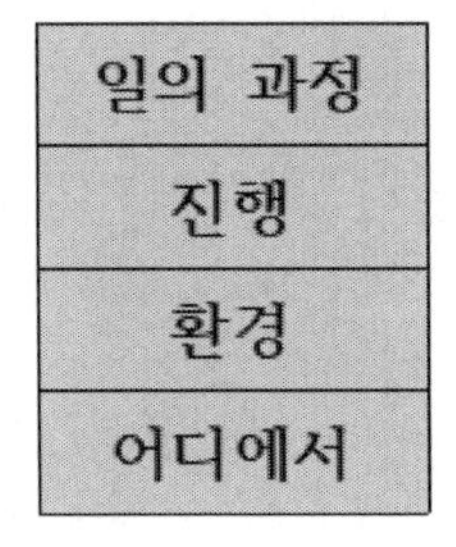

일의 과정
진행
환경
어디에서

결과
마무리
일의 진행
일의 속도
무엇을 하고 있다

제일 먼저 메이저 카드. 마이너 숫자카드. 마이너 인물카드 3부류로 구분해야 한다. 여기에서는 마이너 숫자카드가 없다. 두 사람(人)과 정신상태(天)는 카드로 나왔지만 환경,공간.장소(地)는 없다. 두 사람은 지금까지 무의식 속에 존재하고 있었으며 현실적으로는 서로 만날 수 없는 상황이었다는 것

을 짐작할 수 있다. 이런 식으로 큰틀로 판단하고 세부적으로 통변에 들어간다.

소년 펜타클은 남자의 모습이고 연락을 취하는 모습이며 소년은 순수하고 착한 것을 의미하니 과거 어린시절 첫사랑이라는 키워드가 있고 시작이라는 의미가 있어 **소년 펜타클은** 과거 첫사랑 남자(여자)라는 키워드를 유추할 수 있다. **세계카드는** 완성이라는 의미가 있는데 과거 첫사랑 연인을 마침내 만났다는 결과를 말하는데 이 세계카드는 과거 첫사랑과 사귀었다면 다시 재결합은 힘들고 사귀지 않았다면 반드시 한번은 만나서 해결해야 한다는 목표가 있다는 것이다. 그리고 두 사람의 거주지는 먼 지역에 있어 살고 있는 모습이다. 장거리 이동이라는 키워드가 있어 멀리서 남자가 찾아와 이 여자를 만날 수 있다고 유추할 수 있다. 만난 후 두 사람의 모습은 **고위여사제로** 판단한다.

고위여사제는 적극적이지 못하고 애매모호한 모습으로 서로 간에 지난 어린시절 순수한 사랑의 아쉬움이 현실적으로 만나보니 더 생각이 많아지고 조심스러운 관계로 유지해야 하나 고민에 빠져 있는 모습이다. 왜냐하면 두 사람은 서로 가정을 가지고 있기 때문이다. **고위여사제는** 양면성이 있는데 바람을 피거나 정신적 사랑을 유지하는가 하는 고민이다. 따라서 두 사람이 앞으로 만남이 지속된다면 배우자를 외면하고 첫사랑과 불륜관계로 이어질 수 있다. 두 번째로 배열법에서 **정신상태와 진행은** 과거 순수한 첫사랑의 만남이 시작되었고 **진행속도는** 느리고 조심스럽게 나가는 모습이며 첫사랑에 대한 이상과 현실적인 차이에 두 사람은 외로우면서도 내색하지 않는 행동으로 이어진다. 세 번째로 첫사랑 남자를 만났지만 **주위환경은** 세계카드가 가정.가족이라는 키워드가 있어 서로 가정이 있고 남자가 쳐다는 보고 있지만 생각이 많아 결과적으로 적극적이지 못하고 있다.

마지막으로 타로 이미지로 판단하면 **소년 펜타클은** 소년은 남자이고 손에 쥐고 있는 펜타클은 여자를 의미하니 두 사람의 만남이 되었으나 인물 카드에서 **소년(페이지)은** 큰 결과보다는 미약한 시작이니 결과를 내기 위해서는 시간이 걸린다. **세계 카드는** 2개의 봉을 들고 있는 여인의 모습은 왼쪽 남자를 쳐다보고 있고 2개의 봉을 쥐고 있는 것은 남편과 애인을 두고 싶은 마음으로 머리가 복잡한 여자의 모습이며 여러 남자를 의식하고 있다.

고위여사제는 이 여자의 모습이고 현재 물질보다는 사랑에 배고파하는 정신세계가 가득 차 있다. 지금 이 여자는 정면을 응시하고 있고 냉정 침착하고 있어 남자가 적극적으로 마음을 준다면 이 여자는 이 남자를 첫사랑 꿈을 이룬 플라토닉 사랑으로 간직하고자 하는 잠재의식이 있다. 몸(세계)과 마음(고위여사제)으로 애정표현하는 여자의 정신세계와 남자의 소년 펜타클은 이 여자를 감당하기에는 부담스러울 수 있어 결론적으로 2가지로 조언해 줄 수 있다. 첫사랑에 대한 마지막 만남으로 종결하든지 아니면 지속적 만남을 가져 불륜관계를 유지된다면 고위여사제의 부정적 의미로 집착하여 신경이 예민해질 수 있으며 혹시라도 남자가 경제적 궁핍이 있다면 물질적 지원까지 갈 것이다.

[문 107] 3 카드 배열 실전타로 건강운세 파악

아는 지인이 코로나 확진자가 되었다고 연락을 받고 필자가 직접 타로카드 3장을 뽑아 보았다.

제일 먼저 눈에 띄는 **메이저 카드 12번 매달린 사람이** 나왔다. 현재 움직일 수 없는 상황이라는 것을 알 수 있다. 장소적 개념으로는 병원을 나타내고 자가격리를 하고 있는 모습이다. 무증상이 아니라 머리부터 발끝까지 몸 전체가 아프다는 것을 느낄 수 있다. 당분간은 푹 쉬어야 하는데 본인은 답답해서 미칠 지경이다.

그러면 **컵 6을** 어떻게 통변해야 하는가? 코로나 확진자의 입장에서 바라보아야 한다. 코로나에 감염된지 6일째 몸살 감기 기운으로 병원에 가서 코로나 확진 판정을 받는 모습이다. **컵 6은** 과거에 대한 반성 후 해결이라는 키워드가 있다. 그래서 코로나에 감염된지 6일째(컵 6)가 된 것이다. 컵 6의 부정적 측면으로 몸에 이상이 생겨 분명 스스로 자각을 느꼈지만 스스로 병원에 가지 않고 고집을 피우다가 어쩔 수 없이 감기증상이 심하여 병원을 가서 알게 된 것이다. **컵 6의** 타로그림 속 목부위와 옷차림을 보고 인후통이 심하고 몸살기운이 심했다고 본다.

좀더 입체적 통변을 해보면 **컵 6을 보고** 지금까지 해왔던 직장생활이나 고향친구.대인관계.공부가 중단되고 일정기간동안 국가(병원)에서 지정한 절차에 따라 몸과 마음이 구속된 상황으로 움직여야 한다는 것이다. 위드 코로나 이후로 자기격리가 14일에서 10일로 전환된 시점이지만 12번 매달린 사람을 보고 회복기간이 12일이상이거나 더 걸릴 수 있다.

펜타클 왕을 통하여 펜타클은 건강이나 신체를 참고하고 왕은 결과가 크며 앉아 있는 모습으로 아직은 움직여서 활동할 수 없기 때문에 증상이 오래가고 심하다는 것을 알 수 있다. 그렇지만 펜타클 왕의 긍정적인 측면으로는 병원약이나 보약. 음식을 통하여 건강해질 수 있으며 살이 찔 수도 있지만 단순히 코로나 감염 이전에 몸 전체가 면역력이 떨어져 있고 특히 왼발과 목부위. 기관지 등을 관리해야 한다.

여기서 **펜타클 왕을** 또 다른 측면으로 본다면 자신의 직장환경으로 돌아와 본래의 모습의 상황이다. 직업적으로 펜타클은 부동산, 건물, 금융 등을 의미하는데 펜타클 왕의 뒷모습을 보면 남향(노랑색)에 위치한 오래된(펜타클) 고층 건물과 주위 초목이 무성한 공원이 있는 근처에서 오랫동안 건물을 관리하는 직업에 종사하고 있으며 능력이 좋고 신뢰할 수 있는 관리자라는 것을 **펜타클 왕을** 보고 알 수 있다.

[문 108] 코로나 확진자와 접촉하여 코로나 검사를 받으면 어떻게 나올까?

3 카드 배열법에서 메이저 카드 **20번 심판카드가 나왔다.** 이 심판을 긍정적으로 보아야 할것인가? 부정적으로 보아야 할것인가? 하는 것은 **완즈 6와 펜타클 기사를 보고** 통변해야 한다. **완즈 6는** 이러한 질문 속에 '소식'이라는 키워드가 있는데 지인으로부터 코로나 확진자가 되었다고 안 좋은 소식을 받는 모습이다.

확진자의 증상이 다른 확진자보다 더 심하다는 것을 **완즈 6을** 통해서 알 수 있다. 그렇다면 또 다른 측면으로 보면 지인(확진자)이 아니라 자신이 코로나 검사를 받으러 가는 모습일 수도 있다. 완즈 6의 긍정적인 측면은 좋은 소식이니 코로나 음성이 나온다. 그러나 **펜타클 기사나 심판 카드를** 보면 소식을 기다려야 하는 의미가 있다.

완즈 6을 보고 코로나 1차 검사에서는 음성이 나왔지만 코로나 확진접촉자는 다시 2차 검사를 받아야 한다고 연락이 와서 6일 만에 2차 검사 음성결과를 받았다. **펜타클 기사는** 움직이지 못하는 상황으로 몸이 자유롭지 못하고 답답한 상황이라는 것을 알 수 있다. 그러나 **펜타클 기사는** 기다리면 좋은 소식이 온다는 의미가 있다. **심판은** 보건소에서 좋은 소식이 와서 다시 원래대로 부활한다는 것이다. 여기에서 핵심적인 카드는 **펜타클 기사이다**. 펜타클로 건강상태를 알 수 있으며 말이 정지되어 조금 시간이 걸렸지만 완전히 코로나 음성이 나올 수 있다는 것이다.

다시 3장을 연결하여 통변을 하면 **완즈 6을** 보고 코로나 1차 검사를 받아 좋은 결과가 나왔지만 **펜타클 기사를** 보고 또 다시 2차 검사를 받아야 하는데 결과가 나오기까지 6일 정도 시간이 실제로 걸렸다. 마지막으로 **심판 카드가** 나오면 펜타클 기사를 보고 긍정적으로 통변하면 좋은 소식이 온다는 것이다. 원래대로 일상으로 돌아가 자유로워지고 회복이 된다는 것이다.

여기까지는 키워드 통변이었고 직관으로 통변하면 **완즈 6에** 말을 타고 있는 사람의 복장과 **펜타클 기사의** 복장을 비교하면 펜타클 기사는 갑옷을 입고 완전무장을 하고 있다는 것이다. 코로나 잠복기에도 검사에는 아무 문제가 없다는 것을 알 수 있다. 그리고 기사는 펜타클을 쥐고 있다는 것은 건강하다는 것이고 말의 머리를 보면 심판 카드를 쳐다보고 있다는 것이다. **심판 카드는** 보건소에서 코로나 검사를 받고 있는 모습이다.

아이와 젊은 남녀가 검사를 받고 있는 모습인데 실제로 진료소에는 노년층은 거의 없었다. 심판 카드에서도 알몸의 사람의 숫자가 6명이 나와 6일이라는 기간을 유추 할 수 있다. **완즈 6는** 화요일 평일 1차 검사이고 **펜타클 기사는** 토요일 휴일 2차 검사인데 말이 정지되었다는 것은 평일이 아니라 휴일이고 검사결과는 일요일에 나왔는데 오전 9시 02분에 문자로 연락이 온 것은 **심판 카드** 알파벳 대문자 갯수가 9개가 되어 9시가 되며 로마 숫자 XX(JUDGEMENT)를 보고 2분이라는 것을 알 수 있다.

이런 직관통변은 주관적이고 순간 직감으로 통변하는 것이다. 그러나 기본 키워드 통변을 무시하고 직관통변으로만 보는 것은 그때 그때마다 호불호가 심하다는 것을 알아야 한다.

- 타로실전강의록 실전편 終 -

여명미래역학 저서

여명쌤의
사주팔자
이야기
이부상 지음
BOOKK

타로
실전 강의록
(이론편)
이부상 지음
부크크

四柱八字로 심리 파악하는
사주
진로적성분석
이부상 편저
부크크

사주
통변술
30년 경력 사주멘토
여명철학관